생일을 축하드립니다.

가족모두다 건강한 생일

꾸미시고,

밝은마음의 가운을 상쾌하게

맞으십시오.

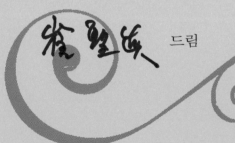

崔聖旼 드림

살아 있는 동안
꼭 해야 할 49가지

우리의 일기장을 채울 따뜻한 일상의 조각들

살아 있는 동안
꼭 해야 할 49가지

탄줘잉 편저 | 김명은 옮김

위·즈·덤·하·우·스

옮긴이 | 김명은
1974년 서울 출생으로 이화여자대학교에서 중국어 교육 석사학위를 받았다.
현재 범계중학교 교사로 재직 중이다.

그린이 | 김성신
덕성여자대학교에서 서양화를 전공하고 California Institute of the Arts 에서
Character Animation과를 졸업했다.
디자이너로 그리고 애니메이터로 일해 왔으며 지금은 일러스트레이터로
여러 분야에서 그림을 그리고 있다.

살아 있는 동안 꼭 해야 할 49가지

초판 1쇄 발행 2004년 12월 20일
2판 1쇄 발행 2005년 4월 20일 | 2판 14쇄 발행 2005년 8월 8일

편저 탄쥐잉(覃卓穎) | 옮긴이 김명은 | 펴낸이 김태영

상무 신화섭 | 책임편집 정소연 | 편집기획 고정란 강정애 김은정 | 디자인 김미영
외서기획 이유정 | 마케팅 신민식 정덕식 권대관 송재광 임태순
인터넷사업 정은선 김선아 | 광고홍보 김현종 김정민 이세윤 | 제작 송현주
경영지원 하인숙 임효구 봉소아 김성자 이재희 | 인사교육 송진혁

펴낸곳 (주)위즈덤하우스 | 출판등록 2000년 5월 23일 제13-1071호
주소 (121-763)서울시 마포구 도화1동 22번지 창강빌딩 15층
전화 (02)704-3861 | 팩스 (02)704-3891
homepage www.wisdomhouse.co.kr
출력 엔터 | 종이 화인페이퍼 | 인쇄·제본 (주) 현문

값 8,800원 | ISBN 89-89313-49-x 03810
* 잘못된 책은 바꿔드립니다.

우리에게 남겨진 날이 얼마 남지 않았을 때

우리가 미리 생각하고 꼭 해야 할 일을 찾는다면

어떤 것이 있을까…

지금, 사랑한다고 외쳐보세요

도종환(시인)

살아 있는 동안 꼭 해야 할 일이 참 많다. 우리는 늘 그 일들 때문에 쫓기며 산다. 그런데 우리가 이 세상을 떠날 때 꼭 했어야 했는데 하지 못해서 후회하게 되는 일은 어떤 일일까?

물론 그것 역시 마무리 짓지 못한 사람도 있을 것이다. 그러나 많은 사람들이 그 일을 하지 못해서 후회하는 경우보다는 사람들에게 잘해주지 못한 점 때문에 더 후회한다고 한다. 그것도 가까운 사람들과 더 많은 시간을 함께하지 못하고 찾아뵙고 따뜻하게 대하지 못했던 걸 가슴 아프게 생각한다고 한다.

그렇다면 지금 그 일을 해야 한다. 아직 살아 있을 때, 정신을 차릴 수 없을 정도로 바쁘게 돌아가는 일상 속에서 문득 정신이 들 때, 그때 더 망설이지 말고 실행에 옮겨야 한다. 내일로 미루면 그 일은 끝내 하지 못하게 된다.

오늘 전화를 걸어 말하지 않으면 다시 시간을 내기 어렵고, 오늘 찾아가지 않으면 마음의 빚은 더 쌓여 회복할 길이 없게 되고 만다.

『살아 있는 동안 꼭 해야 할 49가지』는 우리가 살아 있는 동안 지금 바로 실행에 옮겨야 할 것들이 무엇인지 가르쳐주는 이야기다. 이 이야기들 속에는 감동이 살아 있다. 꼬리를 물고 이어지는 감동 때문에 나는 이 책을 천천히 읽어달라는 탄줘잉의 부탁에도 불구하고 하룻밤 새다 읽어버렸다. 앞에서 읽은 이야기의 감동이 전염되어 뒷글로 이어졌고, 그 감동의 바이러스는 끊어질듯 하다가 다시 이어져 책이 끝날 때까지 계속되었다.

어릴 때 다니던 학교 사택에 아직도 살고 계시는 선생님, 훌륭하게 성장하고 있는 제자들에 관한 기사와 사진을 벽 가득 붙여놓고 있는 마리아 선생님 같은 분이 이 땅 어딘 가에도 계실 것이다. 돌아오는 길에 '선생님, 저희를 용서하세요.' 라고 전보를 치는 페이샤는 그래도 괜찮은 제자다. 선생님을 가슴속에 담아두고만 있을 뿐 끝내 고마움을 표현하지 못하고 마는 제자가 대부분이다.

용서해야 할 일도 있다. 전쟁터에서 살기 위해 차마 못할 짓을 했던 친구를 용서하고 평생 벗으로 삼은 전우, 어릴 때 좋아하는 마음을 표현하기 위해 친구를 곤경에 빠뜨렸던 일, 자기 대신 누명을 쓰고 벌을 받은 친구가 보고 싶어 동창회에 나갔다가 몇 해 전에 죽었다는 얘기를 듣는 경우도 있다. 좀 더 일찍 연락을 했었다면 좀 더 일찍 용서를 구하고, 용서를 했더라면 평생 후회하며 살지는 않았을 것이다.

　시샘도 많고 갖고 싶은 것도 많아서 남편에게 "만약 당신이 어느 날 갑자기 죽으면 나한테도 뭔가 남겨진 물건이 있어야 하지 않겠어요. 당신을 그리워할 수 있는 물건 말이에요" 하며 투정을 부리다가 어느 날 정말로 3캐럿짜리 옐로 다이아몬드반지를 선물받고 기뻐했는데, 그 말이 그대로 씨가 되는 일이 벌어질 수도 있다. 그게 남편이 남기고 가는 마지막 선물이 되는 경우 말이다. 후회해도 소용없는 상황이 우리에게도 얼마든지 올 수 있다.

　우리에게 남겨진 날이 얼마 되지 않았다고 생각하고 꼭 해야 할 일을 찾는다면 어떤 것이 있을까? 갈라터진 어머니의 발을 한 번 씻겨 드리는 일, 자신의 대학등록금을 마련하기 위해 아버지가 파셨던 가보로 내려온 소중한 물건을 다시 찾아드리는 일, 고향 사람들을 만나 따뜻한 식사 한번 하는 일, 장애를 갖고 태어나서 소외받는 아이의 귀에 대고 "네가 내 딸이면 좋겠다"고 말해주는 선생님이 되는 일, 곤경에 빠진 사람들을 사심 없이 도와주는 일, 기념할 만한 날에 나무 한 그루 심는 일, 자기 자신에게 상을 주는 일, 아무리 나쁜 사람일지라도 한 번 더 믿어주는 일, 큰 소리로 '사랑해요' 라고 외치는 일… 생각해보면 참 많은 일들이 있을 것이다.

"사람들은 남에게 감정을 표현할 때 늘 창피하다고 느껴요. 가족에게는 더욱 그런 것 같아요. 하지만 자신의 마음을 표현하지 않으면 평생 후회하게 될 거예요. 맞죠?"

이 책에 나오는 데이비드처럼 우리도 그렇게 후회하게 될지 모른다. 일 때문에, 일을 더 잘하려고, 일에 더 매달리다가, 일 속에서 여유를 잃고 삶의 많은 것을 놓치고 난파의 길로 가고 말았을 때, 단 하루 동심으로 돌아가서 아이와 놀아주다가 다시 우리가 놓친 것이 무엇인가를 발견하게 된다. 일하는 재미와 오늘 하루의 행복을 발견할 줄 모르는 생활에서 벗어나 하루 딱 15분씩만 책을 읽어보는 건 어떨까. 이 책의 메시지처럼 오늘부터라도 눈을 돌려 자연을 바라보고, 사람을 바라보고, 자신을 돌아보는 것이다.

마음을 여세요. 행복은 가까이에 있습니다

여러분께 부탁드릴 것이 있습니다.

이 책을 천천히 읽어주셨으면 합니다. 사람들이 북적이는 틈에 끼어 이 책을 읽지 말아주세요.

부탁입니다. 그러기에는 여러분과 함께할 수 있는 시간이 너무 아쉽습니다. 독자 여러분과 특별한 시간을 나누고 싶은 욕심이, 제게는 있습니다.

가까이 두고 계시다가 마음에 상처를 받았을 때, 삶의 의욕이 떨어질 때, 힘들고 외로울 때, 울고 싶을 때 이 책을 펴보셨으면 합니다. 빨리 읽을 필요가 없습니다. 일주일도 좋고, 한 달이라도 좋습니다. 더 오래 걸려도 상관없습니다.

이 책에는 우리가 스치듯 지나치곤 하는 일상의 이야기들을 담았습니다. 여러분이 익히 알고 계시는 내용일 수도 있습니다. 단지 알았던 것을 일상에 쫓겨 망각했을 뿐이라고 저는 생각합니다.

그렇습니다. 세상은 경이로운 아름다움으로 가득 차 있습니다. 하지만 그 아름다움을 감상할 여유가 없습니다. 우리는 매일 회색 콘크리트 건물 숲 사이를 분주하게 오갑니다. 잠시 짬을 내어 소중한 것을 돌아볼 여유조차 없습니다.

무엇이 이토록 우리를 힘들게 몰고 가는 것일까요?

우리는 매일 경쟁과 승리를 좇아 질주합니다. 지나간 길에는 어김없이 수많은 분실물이 떨어져 있습니다. 매일 무엇을 떨어뜨리고 다니는 것일까요?

'이게 아닌데, 이게 아닌데……' 하면서도 질주를 멈출 수 없습니다. 어쩌면 우리는 본말이 전도된 삶을 살아가고 있는지도 모르겠습니다. 우리가 찾아 헤매던 행복은 대관절 어디에 있는 것일까요?

인생은 유한합니다. 언젠가 우리는 모두 왔던 곳으로 되돌아가야 합니다. 죽음은 누구에게나 두렵습니다. 경험해본 사람이 없어서 더욱 그럴 것입니다. 하지만 저는 눈을 감을 때 후회할지도 모른다는 사실, 그 자체가 더욱 두렵습니다.

이 책을 쓴 이유는 그 '두려움' 때문입니다.

가장 소중한 사람들에게 제 진심을 말하지 못할까봐 무섭습니다. 저를 사랑하는 사람들을 위해, 세상을 위해 아무것도 하지 못한 채 눈을 감을지도 모릅니다. 제가 꿈꿔왔던 일들을 다하지 못할 것 같은 두려움에 몸서리를 칩니다.

정말이지, 후회 없는 삶을 살고 싶습니다. 그런 삶이란 불가능하다는 것을 저도 알고 있습니다. 그러나 최대한 노력하고 싶습니다. 후회를 조금이라도 줄이고 싶습니다.

여러분은 어떤지요.

이 책에는 후회하지 않는 삶을 위해, 살아 있는 동안 꼭 해야 할 일들을 담았습니다. 어쩌면 쉽고, 어쩌면 대단히 어려운 일일 수도 있습니다. 사람마다, 또 환경에 따라 양상이 다를 것입니다.

책을 읽기 전에 우선 마음을 열어주세요.

이 책은 행복을 찾아가는 여정을 다루고 있습니다. 행복은 거창한 그 무엇에 있지 않다는 것이 제가 드리고 싶은 말씀입니다.

우리가 하찮게 여기는 사소한 것에서도 무한한 행복을 찾아낼 수 있다고 여깁니다. 행복은 누군가가 만들어주는 것이 아닙니다. 왕자님도, 공주님도, 램프의 요정도 우리를 행복하게 해줄 수 없습니다. 행복은 우리가 찾아내는 것입니다.

저는 행복을 찾아내는 데도 훈련이 필요하다고 말씀드리고 싶습니다. 그 훈련이란, 바로 감동입니다. 감동은 훈련받는 것이라고 믿습니다. 훈련을 통해 작은 일에서도 감상의 포인트를 이끌어내고, 마침내는 감동해보시기 바랍니다. 이 책이 여러분의 그런 훈련에 작은 보탬이 되었으면 합니다.

여러분의 작은 감동이, 사랑하는 사람들을 다시 감동시킵니다. 사랑하는 사람이 나로 인해 감동하는 것을 발견하는 것만큼 기쁜 일이 세상에 있을까요. 여러분을 사랑하는 많은 사람들에게 감동 바이러스를 전파해보셨으면 합니다.

행복하세요. 우리 모두 행복해집시다.

2004년 12월 중국에서

탄줘잉 올림

차례

사랑에 송두리째 걸어보기

"저 사람은 좀 이상해!"

사람들은 모두 이렇게 말했다. 그는 3층에 사는 수란과 헤어진 뒤에도 줄곧 아파트 주변에 나타났다. 그러고는 건물 앞에 쌓인 파이프 더미에 몇 시간씩 앉아 있고는 했다. 사람들은 예전에 그가 수란과 사귈때, 바로 그 자리에서 기다렸다는 사실을 알고 있었다.

가끔 그는 옆 건물 옥상에 나타나기도 했다. 난간 모서리에 걸터앉은 모습이 위험천만해 보였다. 사람들은 그가 옥상에서 수란의 집을 내려다본다는 것을 알고 있었다. 한창 연애를 할 때도 그곳에서 집 안 동정을 살피다가 수란의 부모님이 외출하는 것을 보고는 슬그머니 애인의 집에 들어가기도 했던 것이다.

여름과 가을 내내 그는 그 두 곳에 계속 나타났다. 바람이 불건, 비가 오건, 태양이 작열하건 상관하지 않았다.

사람들은 그와 수란이 어떻게 사귀게 되었는지는 몰랐다. 하지만 한

글을 이제 막 깨우친 어린아이가

그것을 한 글자씩 읽었다.

창문 밖으로 바라보던

아이들이 목청 높여

따라 읽는 소리가

메아리처럼 울려 퍼졌다.

"수. 란. 사. 랑. 해."

가지 확실한 사실은 수란의 부모님, 특히 어머니가 둘이 사귀는 것을 결사반대했다는 것이다. 사람들은 수란의 어머니를 이해할 수 있었다.

"저토록 바보 같으니 반대하는 게 당연하지."

사람들은 처음에는 그가 무슨 말썽이라도 피우지 않을까 걱정했다. 그러나 시간이 지나면서 마음을 놓았다. 그는 거기에 하루종일 멍청하게 앉아 있을 뿐, 눈에 띄는 어떤 행동도 하지 않았다.

날씨가 추워지고, 바람에 낙엽이 어지럽게 휘날렸다.

그러던 어느 날 그가 건물 앞에서 허리를 구부리고 뭔가를 하는 것이 보였다. 버려진 파이프들을 모아 어깨에 지고 어디론가 부지런히 나르는 것이었다. 무엇 때문에 파이프를 메고 가는지 사람들은 알 수 없었다. 파이프 더미는 오래전부터 그곳에 버려져 있었고, 발에 차이는 것이 불편했지만 사람들은 어느덧 익숙해진 터였다.

그는 사흘 내내 파이프들을 지고 날랐다. 아주 먼 곳으로 옮기는지 한 번 오갈 때마다 한 시간쯤 걸렸다. 파이프는 쇠로 만들어져 무거웠으므로 어깨에 올려놓고 천천히 한 걸음씩 내딛는 그의 모습이 무척 힘겨워 보였다.

사람들은 이해할 수 없었다. 몇 달 내내 그 파이프 더미에 앉아 지냈는데, 그것을 옮기면 이제 어디에 앉겠다는 것인지 ….

사실 더 궁금한 점은 '왜 그것들을 옮겼을까' 하는 것이었다.

파이프 더미가 없어지자 아파트 앞 공터가 아주 밝고 넓어졌다. 사람들은 드러내놓고 표현하지는 않았지만 그에게 고마운 마음을 갖게 됐다. 전에는 왜 파이프 치울 생각을 아무도 하지 못했을까?

며칠 동안 눈이 내렸다.

희뿌윰한 눈발 속에 눈에 익은 누군가의 뒷모습이 어른거렸다. 그 사람이었다. 그는 말끔해진 아파트 앞 공터에 엎드려 뭔가를 열심히 하고 있었다.

이따금 기침을 하기도 했다. 기침이 얼마나 심했는지, 한번 시작되면 그 자리에서 꿈쩍하지 못했다. 사람들은 고개를 저으며 한마디씩 했다.

"저 사람은 확실히 문제가 있어. 몸도 안 좋은 것 같은데 가뜩이나 날씨 사나운 날 도대체 뭘 하는 거지?"

눈발이 점점 더 세져 앞을 분간할 수 없을 정도의 폭설로 변했지만 그는 하던 일을 멈추지 않았다. 서서히 눈이 그치고 난 뒤 그 사람이 사라졌다. 그 이후 아무도 그를 본 사람이 없었다.

긴 겨울이 지나고 봄이 찾아오자 공터의 메마른 흙을 털어낸 작고 여린 생명들이 햇살을 쬐기 시작했다. 하루하루 날이 갈수록 검은 땅이 점점 짙은 초록빛으로 뒤덮였다.

밤새 비가 온 다음 날 아침, 누군가 갑자기 외치는 소리가 들려왔다.

"꽃이 피었어!"

깜짝 놀란 사람들이 집에서 나와 공터에 핀 꽃들을 살펴보았다. 여러 가지 색깔의 꽃들이 사람들의 얼굴을 환하게 물들였다.

그때, 어떤 사람이 나지막이 중얼거렸다.

"음… 물망초가 이렇게 많다니…"

물망초(勿忘草)는 이름 그대로 '나를 잊지 말아달라'는 꽃말을 가진 꽃이었다.

높은 층에 사는 사람들은 또 다른 광경을 목격했다. 꽃들이 몇 개의 큰 글자 모양으로 심어져 있는 것이었다.

글을 이제 막 깨우친 어린아이가 그것을 한 글자씩 읽었다. 창문 밖으로 바라보던 아이들이 목청 높여 따라 읽는 소리가 메아리처럼 울려 퍼졌다.

"수. 란. 사. 랑. 해."

한 여자가 커텐 뒤에서 조용히 눈물을 흘리고 있었다.

— 웨이융구이

사랑에 전부를 걸어보세요.
설령 그것이 슬픔을 가져오더라도….
그러나 그것이 바로 우리의 인생을
완전하게 만드는 유일한 길입니다.

소중한 친구 만들기

기원전 4세기경, 그리스의 피시아스라는 젊은이가 교수형을 당하게
됐다.

효자였던 그는 집에 돌아가 연로하신 부모님께 마지막 인사를 하게
해달라고 간청했다. 하지만 왕은 허락하지 않았다. 좋지 않은 선례를
남길 수는 없었기 때문이다.

만약 피시아스에게 작별 인사를 허락할 경우, 다른 사형수들에게도
공평하게 대해줘야 한다. 그리고 만일 다른 사형수들도 부모님과 작별
인사를 하겠다며 집에 다녀오겠다고 했다가, 멀리 도망간다면 국법과
질서가 흔들릴 수도 있었다.

왕이 고심하고 있을 때 피시아스의 친구 다몬이 보증을 서겠다면서
나섰다.

"폐하, 제가 그의 귀환을 보증합니다. 그를 보내주십시오."

"다몬아, 만일 피시아스가 돌아오지 않는다면 어쩌겠느냐?"

"어쩔 수 없죠. 그렇다면 친구를 잘못 사귄 죄로 제가 대신 교수형을 받겠습니다."

"너는 피시아스를 믿느냐?"

"폐하, 그는 제 친구입니다."

왕은 어이가 없다는 듯이 웃었다.

"피시아스는 돌아오면 죽을 운명이다. 그것을 알면서도 돌아올 것 같은가? 만약 돌아오려 해도 그의 부모가 보내주지 않겠지. 너는 지금 만용을 부리고 있다."

"저는 피시아스의 친구가 되길 간절히 원했습니다. 제 목숨을 걸고 부탁드리오니 부디 허락해주십시오, 폐하."

왕은 어쩔 수 없이 허락했다. 다몬은 기쁜 마음으로 피시아스를 대신해 감옥에 갇혔다.

교수형을 집행하는 날이 밝았다. 그러나 피시아스는 돌아오지 않았고 사람들은 바보 같은 다몬이 죽게 됐다며 비웃었다.

정오가 가까워졌다. 다몬이 교수대로 끌려나왔다. 그의 목에 밧줄이 걸리자 다몬의 친척들이 울부짖기 시작했다. 그들은 우정을 저버린 피시아스를 욕하며 저주를 퍼부었다.

그러자 목에 밧줄을 건 다몬이 눈을 부릅뜨고 화를 냈다.

"나의 친구 피시아스를 욕하지 마라. 당신들이 내 친구를 어찌 알겠는가."

죽음을 앞둔 다몬이 의연하게 말하자 모두 꿀 먹은 벙어리가 되었다.

집행관이 고개를 돌려 왕을 바라봤다. 왕은 주먹을 쥐었다가는 엄지 손가락을 아래로 내렸다. 집행하라는 명령이었다.

그때, 멀리서 누군가가 말을 재촉하여 달려오며 고함을 쳤다. 피시아스였다. 그는 숨을 헐떡이며 다가와 말했다.

"제가 돌아왔습니다. 이제 다몬을 풀어주십시오. 사형수는 접니다."

두 사람은 서로를 끌어안고 작별을 고했다.

피시아스가 말했다.

"다몬, 나의 소중한 친구여. 저 세상에 가서도 자네를 잊지 않겠네."

"피시아스, 자네가 먼저 가는 것뿐일세. 다음 세상에서 다시 만나도 우리는 틀림없이 친구가 될 거야."

두 사람의 우정을 비웃었던 사람들 사이에서 탄식이 흘러나왔다. 다몬과 피시아스는 영원한 작별을 눈앞에 두고도 눈물 한 방울 흘리지 않고 담담하게 서로를 위로할 뿐이었다.

이들을 지켜보던 왕이 자리에서 일어나 큰 소리로 외쳤다.

"피시아스의 죄를 사면해주노라!"

왕은 그 같은 명령을 내린 뒤 나직하게 혼잣말을 했다. 바로 곁에 서 있던 시종만이 그 말을 들을 수 있었다.

"내 모든 것을 다 주더라도 이런 친구를 한번 사귀어보고 싶구나."

— 칼릴 지브란

세상은 변하게 마련이지만 영원히 변하지 않는 것이 있습니다.
친구가 힘들어할 때 두 손을 내밀어 잡아주는 것,
바로 속 깊은 우정입니다.

은사님 찾아뵙기

러시아의 유명한 과학자인 그는 평소와 다름없이 퇴근길을 재촉하고 있었다. 버스에서 내렸을 때 낯익은 건물이 눈에 들어왔다.

날마다 무심하게 지나치던 곳이었지만 수십 년 전 그가 졸업한 초등 학교였다. 건물은 옛날과 같은 모습으로 여전히 그 자리에 서 있었다. 그가 일상에 쫓겨 의식하지 못한 것뿐이었다.

그는 옛 추억을 떠올리며 호기심 어린 눈빛으로 어두컴컴한 건물을 바라보았다. 문득 한쪽 구석에서 붉은 빛이 새어 나오는 것을 발견했다.

'설마… 마리아 선생님이 아직도 여기에 사신단 말인가?'

초등학교 시절, 수학을 가르치시던 마리아 선생님은 당시 학교 건물 에 딸린 사택에 혼자 사셨다.

그는 무심했던 자신을 책망했다.

'어떻게 선생님을 까마득히 잊고 있었을까?'

그는 마리아 선생님의 총애를 가장 많이 받던 학생이었다. 선생님은 그가 수학에 특별한 재능이 있다고 자주 말했다. 그가 물리학을 전공하겠다고 결심한 데도 마리아 선생님의 격려가 큰 역할을 했다.

그는 나무가 심어진 길을 따라 교정으로 걸어 들어갔다. 선생님을 마지막으로 뵌 게 언제인지 기억조차 희미했다.

'설마 여전히 여기 사시는 건 아니겠지? 아니, 아직 살아 계시기는 한 걸까? 연세가 꽤 많으실 텐데….'

조심조심 계단을 올라가 사택에 이르렀다. 노크를 하려고 보니 문이 열려 있어 고개를 살짝 들이밀고 안을 들여다봤다. 비어 있는 듯했다. 그때 뒤에서 인기척이 났다.

"거기 누구세요?"

그가 고개를 돌리자 키가 작고 마른 여자가 서 있었다. 마리아 선생님이란 것을 대번에 알 수 있었다. 예전과 변함없는 모습이었지만 시간이 오래 흘렀으므로 머리가 하얗게 변해 있었다. 그는 조용히 말했다.

"선생님, 저 모르시겠어요?"

마리아 선생님은 그의 얼굴을 살펴보더니 엄숙하고 예의 바른 목소리로 말했다.

"일단 들어오세요."

"마리아 선생님, 정말 저를 몰라보시겠어요? 저는…."

선생님은 잠시 아래위로 그를 찬찬히 살펴보더니 눈을 크게 뜨며 조금 놀란 목소리로 말했다.

"페이샤 스바노프…. 페이샤, 어서 들어오게. 이리 와서 앉아. 페이샤, 탁자 앞으로 와서 앉게. 자네가 오다니!"

그는 선생님의 손을 잡고 싶어 순간적으로 손을 내밀었다가 얼른 거두어들였다. 어머니뻘 되는 분의 손을 마구 잡을 수는 없는 노릇이었다. 그들은 소파에 나란히 앉았다.

마리아 선생님이 기뻐하며 말했다.

"그래, 페이샤. 우선 자네 이야기를 해봐. 일은 잘되고? 결혼은 했나?"

선생님은 이것저것 질문을 한 아름 쏟아냈다.

"네, 결혼했어요."

"행복한가?"

"아주 행복해요! 아들 딸 하나씩을 두었지요."

"그래, 일은 어떤가? 요즘은 무슨 구상을 하고 있지?"

"선생님, 우리 그냥 옛날 이야기해요, 학교 이야기요."

"자네 반에 개구쟁이지만 재능이 많은 애들이 있었던 게 기억나. 자네와 친한 친구들이 특히 말썽꾸러기였지."

"선생님, 제게 수학 점수를 60점 주셨던 거 기억하세요? 아마 4학년 때 였을걸요."

"기억나네. 자네가 숙제를 안 해와서 그랬지. 자네는 수학을 굉장히 잘했지만 가끔 너무 게으름을 피웠어. 친구들이랑 장난을 치다가 혼도 자주 났지."

선생님은 잠시 생각하더니 물었다.

"미샤라고 기억나니? 그 친구, 기자가 됐어. 전국 각지로 출장을 다니는데 해외로도 간다더구나."

"그 친구가 왔었나요?"

"아니."

"아, 네… 다들 바쁘겠죠. 올가는 상트페테르부르크에 공장을 가지고 있다고 들었어요. 선생님, 누가 선생님을 뵈러 왔었나요? 저희 반 친구들을 만난 적 없으세요? 울리아는 만나보셨어요? 그 애는 배우가 됐어요. 선생님이 걔한테 연기에 소질이 있다고 말씀하셨던 거 기억나세요?"

"영화에서만 봤단다."

"그 친구들도 한 번도 온 적이 없단 말씀인가요?"

"그래, 안 왔단다."

"그래도 편지는 자주 받으셨겠죠? 학교를 졸업한 후에는 직장 때문에 뿔뿔이 흩어졌지만 모두들 선생님께 정말 감사한 마음을 갖고 있거든요."

"아니, 페이샤."

선생님이 고개를 저으며 말했다.

"하지만 샤샤는 자주 온단다. 그 애는 아주 힘들게 살고 있지. 그 아이는 자주 와."

잠시 대화가 끊기고 어색한 순간이 이어졌다. 그는 선생님의 눈길을 따라 책꽂이로 시선을 옮겼다.

눈에 익은 책이 보였다. 자신이 쓴 양자물리학에 관한 전문적 내용의 학술서였다.

"선생님, 제가 쓴 책을 가지고 계시네요."

"내가 서운해한다고 생각하니?

아니란다. 내일 학생들한테 말해줘야겠다.

자랑스러운 선배가 학교에 다녀갔다고 해야지.

페이샤. 앞으로 더 많은 일을

해내길 바란다.

부디 행복하고…."

그러나 그는 말을 마치자마자 입을 다물었다. 그 책을 선생님께 보내드린 적이 없기 때문이었다.

"그래, 읽어봤지. 너무 어려운 내용이더구나. 무슨 소린지 이해할 수 없었지만 그래도 꾹 참고 끝까지 봤단다. 난 네가 자랑스럽다. 페이샤. 훌륭한 학자가 돼주어 고맙구나."

그는 자리에서 일어나 자신이 쓴 책을 책꽂이에서 꺼내며 말했다.

"선생님, 제가 책에 사인을 해드려도 괜찮을까요?"

책장에 글을 쓰는 그의 손이 가늘게 떨렸다. 그를 바라보던 선생님이 말했다.

"아, 깜빡했구나. 이렇게 귀한 손님이 오셨는데 차도 안 내놓다니…. 내가 요즘 이렇단다. 무슨 차를 마시겠니?"

선생님이 차를 준비하러 주방으로 간 사이 주위를 둘러보다가 빠끔히 열린 방문을 발견했다.

아무 생각 없이 문틈으로 선생님의 방 안을 들여다본 순간, 그는 너무 놀라 숨이 멎는 듯했다.

선생님의 방은 사방 벽면이 사진으로 도배되어 있었다. 제자들의 사진이었다. 그 밑에는 최근 근황들이 빼곡하게 적혀 있었다. 그에 대한 신문기사 스크랩이 붙어 있는 것도 눈에 띄었다. 마리아 선생님의 방은, 선생님의 것이 아니었다.

선생님이 내다주신 차를 마시며 여러 이야기를 나누었지만, 대체 무슨 말이 오갔는지 기억할 수 없었다. 뒷목에 강력한 충격을 받은 느낌이었다.

그는 선생님과의 대화를 서둘러 마치고 방을 나섰다.

선생님이 학교 밖까지 배웅해주었지만, 그동안 그는 아무 말도 할 수 없었다. 선생님을 마주볼 용기가 나지 않아 고개를 푹 숙이고 걸었다.

그때, 마리아 선생님이 걸음을 멈추더니 조심스레 물어왔다.

"페이샤, 솔직하게 말해주렴. 네 책에 내 영향이 조금이라도 있었니?"

"선생님, 그게 무슨 말씀이세요. 선생님이 안 계셨다면 오늘날 전…."

선생님은 그윽한 눈빛으로 그를 바라보며 말했다.

"내가 서운해한다고 생각하니? 아니란다. 내일 학생들한테 말해줘야 겠다. 자랑스러운 선배가 학교에 다녀갔다고 해야지. 어서 가렴, 페이샤. 앞으로 더 많은 일을 해내길 바란다. 부디 행복하고…."

선생님과 헤어진 그는 힘없이 거리를 걸어갔다. 한참 걷다 뒤를 돌아보았더니 마리아 선생님은 아직도 교문 옆에 서 있었다.

얼굴이 화끈거렸다. 그는 선생님께 편지를 쓰고 싶었지만 그 생각마저 부끄러웠다. 오래전에도 편지를 쓰겠다고 결심했다가 유야무야 넘어간 게 한두 번이 아니었다.

집 근처에 도착했을 때 우체국을 발견할 수 있었다.

그는 무거운 마음으로 우체국에 들어가 마리아 선생님께 전보를 보냈다.

마리아 선생님이 받은 전보에는 단 한 줄의 글만이 씌어 있었다.

"선생님, 저희를 용서하세요."

그 시절, 기억 속의 선생님이 떠오르나요.
머뭇거리지 마세요. 그분을 찾아보세요.
그리 오랜 시간이 걸리지 않을 수도 있습니다.
선생님을 만나보세요.
지금 당신의 모습을 보여드리세요.
그것만으로도 선생님은 흡족해하실 겁니다.
지금의 당신은 선생님 인생의 작품이니까요.
선생님께 당신이란 작품을 감상할 기회를 드리세요.

부모님 발 닦아드리기

일본의 어느 일류대 졸업생이 한 회사에 이력서를 냈다. 사장이 면접 자리에서 의외의 질문을 던졌다.

"부모님을 목욕시켜드리거나 닦아드린 적이 있습니까?"

"한 번도 없습니다."

청년은 정직하게 대답했다.

"그러면, 부모님의 등을 긁어드린 적은 있나요?"

청년은 잠시 생각했다.

"네, 제가 초등학교 다닐 때 등을 긁어드리면 어머니께서 용돈을 주셨죠."

청년은 혹시 입사를 못하게 되는 것은 아닐까 걱정되기 시작했다. 사장은 청년의 마음을 읽은 듯 '실망하지 말고 희망을 가지라' 고 위로했다.

정해진 면접 시간이 끝나고 청년이 자리에서 일어나 인사를 하자, 사장이 이렇게 말했다.

"내일 이 시간에 다시 오세요. 하지만 한 가지 조건이 있습니다. 한 번도 부모님을 닦아드린 적이 없다고 했죠? 내일 여기 오기 전에, 꼭 한 번 닦아드렸으면 좋겠네요. 할 수 있겠어요?"

청년은 꼭 그러겠다고 대답했다.

그는 반드시 취업을 해야 하는 형편이었다. 아버지는 그가 태어난 지 얼마 안 돼 돌아가셨고, 어머니가 품을 팔아 그의 학비를 댔다. 어머니의 바람대로 그는 도쿄의 명문대학에 합격했다. 학비가 어마어마했지만, 어머니는 한 번도 힘들다는 말을 한 적이 없었다. 이제 그가 돈을 벌어 어머니 은혜에 보답해야 할 차례였다.

청년이 집에 갔을 때, 어머니는 일터에서 아직 돌아오지 않았다. 청년은 곰곰이 생각했다.

'어머니는 하루 종일 밖에서 일하시니까 틀림없이 발이 가장 더러울 거야. 그러니 발을 닦아드리는 게 좋을 거야.'

집에 돌아온 어머니는 아들이 '발을 씻겨드리겠다'고 하자 의아하게 생각했다.

"갑자기 발은 왜 닦아준다는 거니? 마음은 고맙지만 내가 닦으마!"

어머니는 한사코 발을 내밀지 않았다.

청년은 어쩔 수 없이 어머니를 닦아드려야 하는 이유를 말씀드렸다.

"어머니, 오늘 입사 면접을 봤는데요, 사장님이 어머니를 씻겨드리고 다시 오라고 했어요. 그래서 꼭 발을 닦아드려야 해요."

그러자 어머니의 태도가 금세 바뀌었다. 두말없이 문턱에 걸터 앉아

세숫대야에 발을 담갔다.

청년은 오른손으로 조심스레 어머니의 발등을 잡았다. 태어나 처음으로 가까이서 살펴보는 어머니의 발이었다.

자신의 하얀 발과 다르게 느껴졌다. 앙상한 발등이 나무껍질처럼 보였다.

"어머니, 그동안 저를 키우시느라 고생 많으셨죠. 이제 제가 은혜를 갚을게요."

"아니다. 고생은 무슨…."

"오늘 면접을 본 회사가 유명한 곳이거든요. 제가 취직이 되면 더 이상 고된 일은 하지 마시고 집에서 편히 쉬세요."

손에 발바닥이 닿았다. 그 순간, 청년은 숨이 멎는 것 같았다. 말문이 막혔다.

어머니의 발바닥은 시멘트처럼 딱딱하게 굳어 있었다. 도저히 사람의 피부라고 할 수 없을 정도였다. 어머니는 아들의 손이 발바닥에 닿았는지조차 느끼지 못하는 것 같았다. 발바닥의 굳은살 때문에 아무런 감각도 없었던 것이다.

청년의 손길이 가늘게 떨렸다. 그는 고개를 더 숙였다. 그리고 울음을 참으려고 이를 악물었다. 새어나오려는 울음소리를 간신히 삼키고 또 삼켰다.

하지만 어깨가 들썩이는 것은 어찌할 수 없었다. 한쪽 어깨에 어머니의 부드러운 손길이 느껴졌다. 청년은 어머니의 발을 끌어안고 목을 놓아 구슬피 울기 시작했다.

다음날, 청년은 다시 만난 회사 사장에게 말했다.

"어머니가 저 때문에 얼마나 고생하셨는지 이제야 알았습니다. 사장님은 학교에서 배우지 못했던 것을 깨닫게 해주셨어요. 정말 감사드립니다. 만약 사장님이 아니었다면, 저는 어머니의 발을 살펴보거나 만질 생각을 평생 하지 못했을 거예요. 저에게는 어머니 한 분밖에 안 계십니다. 이제 정말 어머니를 잘 모실 겁니다."

사장은 미소를 지으며 고개를 끄덕이더니 조용히 말했다.

"인사부로 가서 입사 수속을 밟도록 하게."

세상에는 이런 사람이 있습니다. 당신에게 옷을
더 껴입으라고, 조심하라고 늘 끊임없이 부탁하죠.
당신은 짜증스럽지만 따뜻함도 느낍니다.
돈이 없을 때, 그는 항상 돈 버는 일이 쉽지 않다며
당신을 훈계합니다. 그러면서도 당신에게 돈을 쥐어줍니다.
이런 사람들을 우리는 부모라고 부릅니다.
부모님의 또 다른 이름은 '희생'입니다.

영광은 다른 사람에게 돌리기

1999년 7월, 인류 역사상 최초로 달 착륙에 성공한 우주 비행사 세 명이 '새뮤얼 랭글리' 훈장을 받았다. 항공 분야의 선구자인 새뮤얼 P. 랭글리(1896년 무인 비행기 시험 비행에 성공, 항공기 개발에 단초를 제공한 인물)의 이름을 딴 이 훈장은 금으로 만든 메달로 1909년 윌버와 오빌 라이트 형제가 처음 받았던 영예의 상징이었다.

1969년 아폴로 11호가 달 착륙에 성공한 지 30년 만에, 우주 비행사들은 영예로운 이 상을 받게 된 것이다.

닐 암스트롱과 에드윈 올드린, 마이클 콜린스 등 세 명의 우주 비행사를 태운 아폴로 11호는 1969년 7월 20일, 달 착륙에 성공하여 우주 시대를 열었다. 이들이 달에 머문 시간은 21시간 37분. 그 중 암스트롱은 달에 발자국을 남긴 최초의 사람으로 기록됐다.

하지만 달에 발자국을 남긴 사람이 또 한 명 있었다. 바로 올드린이었다.

달 착륙 성공 기자 회견에서 어떤 기자가 올드린에게 짓궂은 질문을 던졌다.

"올드린 씨, 암스트롱 선장이 먼저 달에 내렸는데요, 그가 달에 착륙한 첫 번째 사람이 된 것이 유감스럽지 않습니까?"

이 말에 장내가 술렁였다.

하지만 올드린은 미소를 지으며 대답했다.

"한 가지 깜박 잊으신 게 있군요. 지구에 돌아왔을 때는 제가 먼저 내렸어요. 다른 별에서 지구로 온 첫 번째 사람이 바로 접니다."

잔뜩 긴장한 얼굴로 올드린을 바라보던 사람들이 웃음을 터뜨리며 그에게 열렬한 박수를 보냈다.

많은 사람들이 '달 착륙' 하면 가장 먼저 암스트롱을 떠올린다. 어떤 사람들은 '선장이었던 암스트롱이 명예를 독차지하기 위해 가장 먼저 달에 내렸을 것'이라고 의심하기도 한다.

하지만 사람들이 모르는 사실이 있다.

누구나 알고 있는 아폴로 11호의 우주 비행사가 달에 인류의 깃발을 꽂고 손을 흔드는 사진, 암스트롱일 것이라고 모두 지레짐작하는 그 사진의 주인공이 바로 올드린이라는 사실 말이다.

암스트롱은 '달에 선 최초 인류' 사진의 모델 역할을 올드린에게 기꺼이 양보했다. 올드린은 텔레비전을 통해 달 착륙을 지켜본 시청자들을 향해 우주에서 손을 흔든 최초의 사람이었다.

또 다른 한 사람, 콜린스는 모선(母船)을 제어하며 우주인을 다른 행성에 착륙시킨 숨은 공로자였다. 그는 아폴로 11호를 성공적으로 귀환

시킨 장본인이기도 했다.

착륙선 이글 호와 본부의 통신 두절로 암스트롱과 올드린은 우주 미아가 될 뻔하기도 했다. 착륙선이 모선으로 귀환했을 때, 연료는 30초 분량밖에 남아 있지 않았다. 절체절명의 위기였다. 콜린스가 침착하게 대처하지 않았다면 아폴로 11호 계획은 실패할 수도 있었다.

그러나 올드린과 콜린스는 이런 사실을 기자들 앞에서 한마디도 언급하지 않았다. 암스트롱 뒤에 나란히 서서 포즈를 취하며 미소 지을 뿐이었다.

30년 세월이 흐른 뒤, 암스트롱 선장은 랭글리 훈장을 받은 소감을 이렇게 말했다.

"저 혼자 감사할 일이 아닙니다. 우리 아폴로 11호 승무원들은 아폴로 계획에 참여했던 모든 관계자를 대신해 감사할 따름입니다."

명예는 많은 사람이 갖고자 애쓰는 가장 큰 욕망일 겁니다.
사람들은 자신을 드러내면서 존중받고,
특별한 대우를 받고 싶어합니다.
하지만 성급결에라도 이런 식으로 말하지 마세요.
"나도 그런 걸 가지고 있어요." "나도 거기에 가봤어요."
대신에 조금만 참고 무슨 일이 일어날지 기다려보는 것이 어떨까요.
그리고는 이렇게 말해보세요
"대단해요!" "정말 존경스럽습니다."

고향 찾아가기

어릴 적 그는 명절을 좋아했다. 명절이면 친구들이 챙겨다준 음식을 맛볼 수 있었다.

친구들은 대부분 가난했다. 하지만 그의 집은 더욱 가난했다. 그래도 그와 친구들은 누군가에게 빵이 하나 생기면, 모두가 모인 뒤에야 나눠 먹을 정도로 서로를 위하는 사이였다.

오래전 그는 가난이 싫어 고향을 등졌다. 고향이란 그에게 '지긋지긋한 가난'을 상징할 뿐이었다.

눈 깜짝할 사이에 40년이 흘렀다. 세상에 변하지 않은 것이 없었다. 그는 온갖 고난과 많은 경쟁자들을 물리치고 사업가로 성공했다. 그의 회사는 그 분야에서 첫 손가락에 꼽히는 기업으로 성장했다.

세상 부러울 것 없이 승승장구하던 그는 어느 날 심한 몸살을 앓았다. 고열에 시달리던 중 꿈속에 고향 풍경이 보였다. 원망하며 멀리했던, 잊고 싶어했던 고향이 갑자기 그리워졌다.

그는 건강이 회복되자마자 고향으로 출발했다. 햇살이 따스한 날이었다. 마을을 돌아다니며 가난한 그에게 은혜를 베풀던 사람들에게 인사를 드렸다. 천둥벌거숭이로 함께 뛰놀던 친구들이 이제는 중년의 농부로 변해 있었다.

40년이라는 세월 동안 고향은 변해 있었다. 큰 도로가 뚫렸고 타지 사람들이 경치 좋은 곳에 으리으리한 별장을 세웠다. 그러나 마을 사람들의 옹색한 살림살이는 전혀 나아진 것 없이 그대로였다.

그는 집집마다 선물을 전했다. 그리고 어릴 적 살던 집으로 사람들을 초대해 잔치를 벌였다.

그의 고향 마을에는 잔치에 초대를 받으면 선물로 답례하는 풍습이 있었다. 사람들 역시 작은 선물을 가져왔다. 하지만 그는 받지 않았고, 모두 다시 가져가라고 웃으며 부탁했다.

사람들이 왁자지껄 음식을 먹으며 술을 마시려 할 때였다.

문이 열리고 가장 친하게 지냈던 친구 세 명이 들어왔다. 그들 중 두 명은 맨손이었다. 한 명이 대표 자격으로 값싼 술을 들고 있었다.

"미안해! 우리가 조금 늦었네."

그들 세 명은 날품팔이로 힘겹게 살아가고 있었다. 오랜 세월이 흘렀어도 고향 사람들은 여전히 가난했고 친구들 형편은 더욱 어려웠다.

그는 맨발로 달려나가 반가운 친구들의 손을 덥석 잡아 끌어 자신의 옆자리에 앉혔다. 그러고는 가장 친한 친구들이 준비해온 술병의 마개를 직접 땄다.

"너희들이 가져온 이 술부터 마시는 게 좋겠다. 늘 함께 모여 술 한잔

잔치에 모인 사람들은

술 대신 물을 마시고도

흠뻑 취할수 있었다.

고향의 정에 취하는 건

아무도 막을 수 없다.

할 날을 기다렸거든."

그 순간 친구들은 얼굴을 붉게 물들이며 당황하는 기색이 역력했다.

그는 모두의 잔에 술을 가득 따라준 뒤 힘차게 "건배"를 외쳤다.

그가 한 번에 술잔을 비우고 말했다.

"고향 술을 오랜만에 마시니 감개무량하다. 자, 한 잔씩 더 마시자."

그는 다시 친구들의 잔을 가득 채웠다. 잔치에 모인 사람들은 서로를 힐끗힐끗 쳐다보며 아무 말도 하지 않았다. 세 친구는 귀까지 빨개진 채 고개를 푹 숙였다.

이번에도 잔을 한 번에 비운 그가 기분 좋게 말했다.

"사업을 하느라 여러 곳을 돌아다녔지. 그래서 온갖 술을 다 마셔봤어. 그런데 지금까지 이 술보다 더 맛있는 술을 마셔본 적이 없었다네."

그는 몸을 일으켜 다른 사람들에게도 술을 따라주기 시작했다.

"자, 자, 우리 한 잔씩 더 하자구요. 저는 벌써 취하는 것 같은데…."

그의 눈에서 뜨거운 눈물이 떨어졌다. 세 명의 친구는 진작부터 눈물을 흘리고 있었다. 마을 사람들 모두가 숙연해졌다. 한동안 침묵이 흘렀다.

돌연, 그가 호탕하게 웃기 시작했다. 웃음은 일순간에 전염됐다. 사람들은 서로의 얼굴을 바라보며 한바탕 시원한 웃음을 터뜨렸다. 따스한 봄바람이 잔치를 더욱 흥겹게 했다.

세 친구가 들고 온 술병에는 사실 맹물이 담겨 있었다. 가난한 그들은 술 한 병 살 돈조차 없었다. 하지만 오랜만에 고향으로 돌아온 절친한 친구가 초대한 잔치에 맨손으로 참석할 수는 없어서 꾀를 냈다.

'부자가 된 친구가 여는 잔치인데 설마 이런 싸구려 술을 먹자고는 안 하겠지.'

그들은 빈 술병을 구해 물을 채워 온 것이었다.

이날 잔치에 모인 사람들은 술 대신 물을 마시고도 흠뻑 취할 수 있었다. 고향의 정(情)에 취하는 건 아무도 막을 수 없다.

— 롼청저우

고향으로 돌아가봅시다.
어릴 때 뛰놀던 곳을
다시 거니는 것만으로도 깨닫게 됩니다.
오래전, 뜨거운 열정으로 어린 시절을 장식했던 것들이
이미 기억에서 사라져버렸다는 사실을 말입니다.
하지만 그 속에서 작은 관심과 배려를 만날 수 있습니다.
풍경은 바뀌어도 사람은 변하지 않는 법이니까요.

지금, 가장 행복하다고 외쳐보기

결재를 기다리며 앞에 서 있는 그에게 사장이 건성으로 물었다.

"요즘 어떤가?"

그는 즉시 대답했다.

"살아오면서 오늘이 가장 행복한 날입니다."

사장은 서류에서 눈을 떼고 그를 쳐다봤다. 그의 대답에 적이 놀라는 눈치였다.

"가장 행복한 날이라고?"

사장이 의아하다는 듯이 물었다.

"네."

그는 조금도 망설이지 않고 씩씩하게 대답했다.

사장이 다시 질문했다.

"자네 올해 나이가 몇인가?"

"쉰 여덟입니다."

그는 대답했다. 사장은 책상 위에 놓인 종이에 무엇인가를 쓰며 중얼거렸다.

"그러니까 자네는 해마다 365일을 살아왔네."

사장은 계산을 마치더니 이렇게 말했다.

"음… 자네는 벌써 2만1천170일을 살았군. 그런데 지금 여기 서서, 오늘이 살아오면서 가장 행복한 날이라고 말하는 건가?"

"그렇습니다."

그는 더욱 힘주어 대답했다.

그는 사장이 자신의 말을 믿지 않는다는 것을 느낄 수 있었다. 물론 사장이 믿든 안 믿든 그건 그리 중요하지 않았다.

그는 생각했다.

'누구보다 내가 나 자신을 믿는 게 소중해.'

이런 생각을 하고 있는 그에게 사장이 따져 물었다.

"자네는 어떻게 오늘이 가장 행복한 날이라고 말하는 거지? 자네가 결혼하던 날은? 설마 오늘보다 행복하지 않았다는 건 아니겠지?"

그는 담담한 표정으로 대답했다.

"지금까지도 그랬고, 앞으로도 영원히 결혼하던 그날을 기억할 겁니다. 아내는 눈물을 흘렸죠. 부모님의 반대를 무릅쓰고 한 결혼이었거든요. 첫애가 태어나던 순간도 기억하고 있어요."

그러자 사장은 마치 따지듯이 큰 소리로 말했다.

"그것 보라고. 결혼이나 첫 아이 출산만큼 행복한 날이 어디 있어?"

하지만 그는 조금도 지지 않고 응수했다.

"또 다른 수많은 아름다운 날들도 기억합니다. 분명히 그런 날들도 무척 행복했어요. 하지만 오늘처럼 좋았던 날은 없지요. 그날들 중 어떤 날도 단지 두 번째일 뿐이에요. 그 하루하루가 지금의 생활을 만들어주었습니다. 행복했던 날들이 모두 모여서 오늘을 만들어준 것이니, 바로 오늘이야말로 가장 행복한 날이라고 생각합니다."

그제야 사장은 고개를 끄덕였다.

"그렇군. 이사회에 참석할 준비를 하게. 자네를 영업담당이사로 특별 승진시키기로 했네. 축하하네!"

— 조르조 드란트

행복의 기준은 사람마다 다를 수 있습니다.
그러나 이것만은 다를 수 없습니다.
행복했던 나날들이 모두 모여
바로 오늘을 만든다는 것입니다.
새털처럼 많은 행복했던 순간이 모여
당신의 오늘을 만든 것입니다.
그것이 바로
오늘 하루를 감사하며 살아야 할 뚜렷한 이유입니다.

여덟 번째 할 일

자신을 소중히 여기기

호기심 많은 제자가 있었다. 그는 스승한테 날마다 같은 질문을 했다.

"스승님, 제 인생의 가치는 얼마나 됩니까?"

스승은 며칠 동안 아무 말도 하지 않았다.

제자의 질문이 거듭되자 스승은 돌 한 개를 내밀었다.

"이 돌을 가지고 시장에 가서 흥정을 해봐라. 하지만 팔지는 마라. 값을 쳐주겠다는 사람만 나타나면 된다."

제자는 자그마한 돌을 가지고 시장에 갔다.

'이런 쓸모없는 돌을 돈 주고 사려는 사람이 있을까?'

그런데 이상하게도 돌을 사겠다는 사람이 나타났다. 한 사람이 두 냥을 주겠다고 했다. 다른 사람은 닷 냥을 내겠다고 했다.

제자는 몹시 기뻐하며 돌아가 스승에게 말했다.

"사람들이 이 쓸모없는 돌을 글쎄 닷 냥이나 주고 사겠대요. 정말 팔아야 될까봐요."

그러자 스승은 나지막이 말했다.

"귀금속 시장에 가지고 가서 흥정해보거라. 하지만 이번에도 팔지는 마라. 절대 팔아서는 안 된다."

제자는 다음 날 귀금속 시장에 갔다.

어떤 사람이 돌 값으로 쉰냥을 제시했다. 두 번째 사람은 2백냥을 내밀었다. 경쟁이 붙었다. 1만 냥을 주겠다는 사람까지 나타났다.

흥분한 제자는 스승한테 도저히 믿기지 않는 이 일을 모두 말했다.

이번에도 스승은 담담하게 말했다.

"최고급 보석상에 가서 값을 매겨보거라. 이번에도 절대 팔아서는 안 된다. 내 말을 명심해라."

보석상은 돌을 이리저리 살펴보더니 3만 냥에 사겠다고 했다. 제자는 거절했다. 가격은 5만 냥까지 올라갔지만 역시 거절했다.

보석상이 화가 나서 제자에게 원하는 가격을 말해보라고 했다. 물론, 제자는 스승의 명령을 어기고 돌을 팔 수는 없는 처지였다.

그는 돌을 가지고 돌아가 스승에게 말했다

"이 돌덩이가 글쎄 5만 냥까지 올랐습니다. 팔아도 좋을 것 같은데요. 스승님."

스승은 빙그레 웃으며 말했다.

"이제 내가 그 일을 시킨 이유를 알겠느냐? 보석도 볼 줄 아는 사람에게나 가치가 있는 것이다. 인생도 그렇다. 자신을 소중히 여기는 사람일수록 가치 있는 인생을 살 수 있다."

우리의 진정한 가치는 우리가 자신에게 매기는
값에 달려 있습니다. 자신의 가치는
남들의 평가에서 출발하는 것이 아닙니다.
사람의 가치는 무한하므로 자신의 숭고한 가치를
만들기 위해 스스로를 연마해야 합니다.
우리 한 사람 한 사람은 모두
'값을 매길 수 없는 보석'이 될 수 있습니다.
자신감을 기르면 자신의 가치를 더 분명히 알게 됩니다.
자신감 있는 사람은 매력적입니다.
자신감은 일종의 '흡인력'입니다.
자신감을 끌어내는 좋은 방법이 있습니다.
자신 없다고 여겼던 일을 큰 용기를 갖고 해보는 것입니다.

마음을 열고 대자연과 호흡하기

산책을 즐기는가?

날마다 산책을 한다면, 하루하루 변해가는 바깥의 경치와 신선한 공기를 어제와 전혀 다른 느낌으로 받아들여보자. 햇빛과 하늘 그리고 흙. 첫걸음을 내딛기 전에 신선한 공기를 한 모금 마셔 활기를 불어넣자. 흐리든 맑든, 춥든 덥든, 눈앞에 펼쳐진 오늘의 날씨를 마음껏 느껴보자.

산책을 하다가 점점 짙은 초록빛을 띠는 나무나 공중으로 솟아오르며 노래하는 새, 당당하게 활짝 핀 꽃송이를 유심히 본 적이 있는가? 신비로운 자연이 활기를 불어넣고, 마음을 어루만지고, 정신을 고요하게 가라앉힌다.

일부러 시간을 내어 날마다 자연을 감상해야 한다. 자연이 새로운 능력을 줄 수 있도록 말이다. 이른 아침, 집 밖에 나가 5분만이라도 천천히 거닐어보라.

차를 타기 전의 시간을 활용하는 것도 좋은 방법이다.

햇빛과 하늘 그리고 흙,

첫걸음을 내딛기 전에

신선한 공기를

한 모금 마셔

활기를 불어넣자.

하늘의 구름이나 잔디밭의 이슬을 감상하자. 퇴근 후에도 서둘러 집으로 들어가지 말자. 거리나 공원에 서서 아름다운 하루가 저무는 것에 감사하자. 딱 5분이면 충분하다.

잠자리에 들기 전에 자연을 가슴에 품는 습관을 기르는 것은 또 어떨까. 대문을 열고 밖으로 나가 잠깐이라도 밤 공기를 들이마시는 것만으로도 상쾌한 기분을 느낄 수 있다. 고요한 밤하늘을 바라보며 인생의 소중함을 생각하자.

시멘트로 둘러싸인 대도시에 살고 있다면, 더욱더 시간을 마련해 공원에 나가야 한다. 공휴일에는 경치가 빼어난 곳에 나가, 아름다운 자연에 둘러싸인 자신이 진정으로 바라는 게 무엇인지 돌아봐야 한다.

마음속에 아름다운 동경을 지니고 사는 사람들이 갈수록 늘고 있다. 그들은 한적한 시골에 작은 집을 짓고 한가할 때마다 그 집에 머물며 전원의 풍경을 마음껏 누리고 싶어한다.

많은 사람들이 이런 것은 현실과 동떨어진 바람일 뿐이라고 생각한다. 하지만 계획을 잘 세워, 해마다 며칠 만이라도 도회지를 벗어나 편히 쉴 수 있다면 결코 지나친 소망은 아니다.

우리가 사는 도시란 어떤 곳인가?

끊임없이 차들이 오가고, 북적이는 인파에 시달린다. 높은 빌딩에 둘러싸여 밝고 맑은 햇빛을 보지 못한다. 오랜만에 거울에 비춰본 얼굴은, 영락없이 시든 꽃이다.

왜 사는 방법을 바꿔보지 않는가?

순진하고 소박한 마음, 행복한 느낌은 철근 콘크리트 더미에서 찾기 힘들다. 오랫동안 도시에 살면서 생활 리듬이 너무 빨라진 우리는 안타깝게도 단순하고 느리게 생활하는 즐거움을 잊어버렸다.

대자연을 마주하는 순간, 그 어떤 상념도 필요 없습니다.
감정의 소통만 이루어지면 충분합니다.
분명한 것은, 인류가 대자연 속에서 성장해왔고
우리의 뿌리는 대자연 속에 있다는 사실입니다.
온갖 이론과 학식은, 날로 늘어가는 우리의 곤경을 설명하기에
턱없이 부족합니다.
해답은 자연에 있습니다.
단지 며칠이라도 좋습니다.
복잡한 도시를 떠나 자연과 함께 거닐어보세요.

두려움에 도전해보기

마이크는 캐나다 서부 지역에서 몇 년 동안 기자 생활을 했다. 그러다가 서른일곱 번째 생일을 맞이해 회사에 사표를 내더니 그동안 모은 전 재산 3만 달러를 한 노숙자에게 주어버렸다. 그런 다음, 갈아입을 옷 몇 벌만 챙겨 짐을 꾸렸다.

그는 오래전부터 원대한 계획을 세우고 있었다. 낯선 사람들의 차를 얻어 타가며 북미 대륙을 대각선으로 횡단하겠다는 포부였다. 사람들은 '배부른 녀석의 정신 나간 짓'이라며 한껏 비웃었다.

그의 목적지는 미국 동해안에 있는 노스캐롤라이나 주의 케이프 피어(Cape Fear)였다. 이것은 그가 정신적으로 무너지려 할 때 내린 절박한 결정이었다.

어느 날이었다. 점심을 먹고 돌아왔을 때 갑자기 울음이 치밀었다. 죽음을 눈앞에 둔 불치병 환자에 대한 심층 기사를 작성하던 중이었다.

'내가 만약 시한부 인생을 선고받는다면, 과연 어떻게 할까?'

그에게는 보람을 갖고 일할 수 있는 직장과 아름다운 여자친구 그리고 절친한 동료가 있었다. 지극히 평탄한, 나무랄 데 없는 인생이었다.

갑자기 그런 의문이 들었던 것이다. 연약하게 살아온 자신의 인생이 서러워져 눈물이 났다.

마음을 가라앉힌 그는 케이프 피어에 가봐야겠다고 마음먹었다. 그곳에 정말로 '두려움(Fear)'이 있는지 확인해보고 싶었다. 한편으로는 삶의 모든 두려움을 극복하겠다는 굳은 다짐이기도 했다.

마이크는 자신이 두려워하는 것들을 하나씩 적기 시작했다.

어릴 때부터 그는 보모를 무서워했다. 밤마다 우는 이름 모를 새와 검은 고양이, 뱀, 박쥐, 어둠, 파도치는 바다, 황야, 북적거리는 인파, 실패, 나약한 정신 등을 두려워했다. 아니, 두렵지 않은 게 거의 없었다고 하는 편이 나을지도 몰랐다.

서른일곱 살이 되도록 유약하게 살아온 그는 길을 떠나기 전, 병상에 누워 있는 할머니의 전화까지 받았다.

"애야, 너무나 위험한 일이란다. 부랑자들을 만나 위험한 일을 겪게 될지도 몰라."

하지만 그는 더 이상 망설이지 않고 케이프 피어를 향해 발걸음을 내디뎠다.

고속도로에서 살인 사건 용의자나 강도처럼 험악하게 보이는 사람들 때문에 공포를 느낀 적도 있었다. 하지만 마이크를 염려해주고 도와준 이들은 바로 그런 사람들이었다. 마이크가 몸살이 났을 때 오토바이 폭주족들이 아스피린을 나눠주기도 했다.

민박집에서는 숙박비 대신 일을 해줬다. 몇 군데 낯선 가정집에서 머물기도 했다. 정신질환이 있는 마음 착한 사람도 만났다. 마이크는 금전적인 도움을 받지는 않았지만 모두 여든두 명의 낯선 사람들에게 도움을 받았다.

그는 천둥과 번개가 치는 밤에도 젖은 침낭에 들어가 잠을 청하며 대륙을 대각선으로 횡단했다. 그 결과 7천여 킬로미터에 달하는 거리를 약 6주 동안에 걸쳐 횡단하는 데 성공했다.

케이프 피어의 우체국에는 여자친구가 보내준 현금 카드가 도착해 있었다. 그는 칸막이를 뛰어넘어 우체국 직원을 꼭 껴안아주고 싶었다. 그는 돈 없이 여행할 수 있다는 것을 증명하기 위해 길을 나선 것은 아니었다. 힘겨운 여정을 통해 모든 두려움과 맞서 이겨나가고 싶었던 것이다. 그가 두려움의 실체를 확인하고자 용감하게 찾아 나선 케이프 피어. 하지만 그곳은 결코 두려운 곳이 아니었다.

'Cape Fear'라는 명칭은 16세기의 탐험가가 지은 것. 원래는 'Cape Faire'였는데 'Cape Fear'로 잘못 표기되었고 그것이 그대로 전해 내려왔을 뿐이다. 단지 누군가의 실수로 말이다.

마이크는 마침내 깨달았다.

'마을 이름이 나의 두려움과 똑같구나. 나는 그동안 실수를 할까봐 늘 두려워했다는 사실을 알았어. 내가 두려워했던 것은 죽음이 아니었어. 치열하게 살아가야 할 삶을 두려워했던 것이지. 그래서 항상 비겁했던 거야.'

— 우단뤼

그가 6주나 걸려 자신이 상상했던 것과는 전혀 다른 곳에 이르러
얻은 것은 '목적'이 아니라 '과정'이었습니다.
두려움을 극복했다는 것 자체가 중요한 것은 아니었습니다.
6주간의 여정은 무자비한 고통의 연속이었습니다.
그러나 그 같은 고통이 뇌리에는 전혀 다르게 기록됐습니다.
아름답고 달콤한, 자신만의 여정으로 남은 것이지요.
그것은 인생과도 같습니다.
어쩌면 우리는 몇 년을 노력해 도착한 목적지가
'단지 실수'였다는 사실을 깨닫게 될지도 모릅니다.
하지만 그것이 우리 자신이 원해서 간 길이라면
결코 헛된 것이 아닙니다.

경쟁자에게 고마워하기

1936년, 베를린에서 올림픽이 열렸다. 나치 세력이 창궐하던 때였다. 독일의 히틀러는 올림픽을 통해 아리안 혈통의 우월성을 입증하고자 했다.

당시 육상 경기의 최고 선수는 '검은 탄환'으로 불리던 미국의 제시 오웬스였다. 나치는 "유대인과 흑인을 올림픽에서 쫓아내자"고 연신 떠들어댔다.

오웬스는 나치의 이런 훼방에도 불구하고 1백 미터, 2백 미터, 4백 미터 계주와 멀리뛰기에 참가했다. 네 종목 중에서 오웬스와 견줄 만한 선수는 독일의 멀리뛰기 선수 루즈 롱뿐이었다. 그만큼 오웬스의 실력이 출중했던 것이다.

히틀러는 루즈 롱을 직접 만나 "반드시 흑인 오웬스를 이기라"고 명령했다.

멀리뛰기 예선이 벌어지자 히틀러가 응원을 하러 왔다. 루즈 롱은 뛰어난 실력으로 순조롭게 결승에 진입했다.

드디어 오웬스의 차례가 되었다. 독일인들의 야유가 경기장을 뒤덮었고 그는 아연 긴장했다. 오웬스는 첫 시도에서 도약선을 넘는 실수를 했다. 두 번째 시도에서는 뜀판에서 너무 멀리 떨어져 뛰었기 때문에 성적이 좋지 않았다.

마지막 기회.

몇 번을 뛰려다 멈칫거리며 망설이는 오웬스의 표정에는 당황한 기색이 역력했다. 도무지 자신이 없었던 것이다.

그 광경을 보던 히틀러가 자리에서 일어나 경기장 밖으로 나갔다. '저 흑인 선수는 별 볼일 없다'고 생각한 모양이었다.

루즈 롱이 히틀러의 퇴장을 기다렸다는 듯, 오웬스에게 다가갔다. 그러고는 더듬거리는 영어로 말했다.

"저도 작년 세계선수권대회에서 그랬어요. 간단한 요령이 필요해요."

루즈 롱은 오웬스에게 수건을 달라고 했다. 그러더니 그것을 뜀뛰기 발판 몇 센티미터 뒤에 놓았다.

"달려올 때 이 수건을 기준으로 삼아보세요."

오웬스는 루즈 롱이 알려준 방식대로 했다. 신기록에 육박하는 성적으로 예선을 통과했다.

마침내 결승전이 열렸다.

루즈 롱이 먼저 뛰었다. 세계 기록을 경신했다. 다음은 오웬스 차례였다.

오웬스는 루즈 롱을 향해 미소를 짓고는 힘차게 뛰었다. 그는 도약하는 순간, 자신이 세계 최고 기록을 새로 달성했음을 직감했다.

결과는 예상한 대로였다. 오웬스의 금메달이 확정된 순간, 귀빈석으로 돌아와 앉아 있던 히틀러의 얼굴이 일그러졌다. "검둥이는 돌아가라"고 떠들어대던 관중들도 숨을 죽이고 조용해졌다.

이때 갑자기 루즈 롱이 오웬스의 손을 잡고 나섰다. 그리고는 경기장을 가득 메운 독일인들 앞에서 오웬스의 손을 높이 치켜들면서 큰 소리로 외쳤다.

"제시! 제시!"

처음에는 침묵이 흘렀지만 사람들이 서서히 동조하기 시작하더니 잠시 후 거대한 함성으로 폭발했다.

"제시! 제시! 제시!"

오웬스도 다른 한 손을 높이 들어 고마움을 표시했다.

관중석이 조용해지자 이번에는 오웬스가 목청껏 외쳤다.

"루즈 롱! 루즈 롱!"

관중들은 아까보다 더욱더 열띤 목소리로 호응했다.

"루즈 롱! 루즈 롱!"

이 순간만큼은 터무니없는 흑색 선전, 인종 차별도 사라졌다. 편견도 없어졌다. 선수와 관중들은 하나가 되어 진정한 승부의 감동에 빠져들었다.

제시 오웬스가 경신한 세계 신기록은 그 후 24년 동안이나 유지되었다. 게다가 그는 베를린올림픽에서 금메달 네 개를 차지해, 지금까지도 세계에서 가장 위대한 운동 선수 중 한 명으로 칭송받고 있다.

여러 해가 지난 후, 제시 오웬스는 지난날을 회고하며 이렇게 말했다.

"내가 세운 세계 기록은 언젠가 분명히 깨질 것이다. 하지만 루즈 롱이 내 손을 치켜들었던 그 광경은 역사에 영원히 기록될 것이다."

그의 말처럼 제시 오웬스와 루즈 롱은 역사에 함께 기록되었다. 한 가지 다른 점은 제시 오웬스의 영예가 운동장 안에서 온 것이라면 루즈 롱의 영예는 운동장 밖에서 온 것으로, 그가 보여준 인류애에 대한 표창이라는 점이다.

우리에게는 친구가 필요합니다. 또한 라이벌도 필요합니다.
친구가 감정적으로 가장 든든한 격려자라면,
라이벌은 이성적으로 가장 커다란 자극제입니다.
라이벌의 자극을 잘 이용하면 또 다른 발견을 할 수 있습니다.
그래서 라이벌은 '성장 촉진제'입니다.
라이벌을 찾아가 감사의 인사를 전해보세요.
우리를 단상 위에 올려 상을 받게 하는 것은,
우리의 친구가 아니라, 바로 그 라이벌입니다.

추억이 담긴 물건 간직하기

어렸을 때, 그의 일곱 식구는 아버지의 얇은 월급봉투로 근근이 살아
갔다.

낙천적이었던 그의 아버지는 항상 웃는 얼굴이었는데, 약간 벗겨진
머리를 감추려고 우스꽝스러운 모자를 쓰고 다녔다. 그래서인지 다른
아이들의 아버지들보다 훨씬 젊어 보이는 편이었다. 입에는 항상 옥으
로 만든 파이프를 물고 있었다.

그 파이프는 송(宋)나라 때부터 전해 내려온 가보라고 했다. 그의 아
버지는 그것을 몹시 좋아해 '애장품 1호'로 꼽았다. "밥을 구걸하더라
도 파이프는 절대 팔지 않겠다"고 이야기할 정도로 애지중지했다.

아버지는 장남인 그에게 엄하셨지만 무조건 화를 내거나 혼내신 적
은 없었다.

그가 어렸을 때 아버지 책상에 놓여 있던 서류를 뜯어 종이비행기를
접은 적이 있었다. 아버지는 그 모습을 보더니 몇 마디 혼내고는 "나가

놀라"고 했을 뿐이었다. 아들 때문에 서류의 중요한 부분을 잃고 화가 났지만 금세 웃음을 되찾았다.

그는 최고의 성적으로 명문인 베이징대학에 합격했다. 합격통지서를 받아든 아버지는 반쯤 정신이 나간 사람처럼 울다가 웃다가, 마을을 돌아다니며 소리를 질렀다.

"보세요, 우리 아이가 베이징대학에 합격했어요!"

이웃들은 축하 인사를 건넸고, 아버지는 이 세상에서 가장 행복한 사람처럼 보였다.

기쁨도 잠시였다. 입학 등록일이 코앞에 다가오자 학비 문제가 가족을 괴롭혔다. 그는 대학 진학을 포기하고 싶었다. 자신 때문에 모든 식구들이 희생해야 한다는 생각에 차라리 돈을 벌어 집에 보태는 것이 낫다는 결심을 굳히고 있었다.

봄을 재촉하는 비가 내리는 날이었다. 외출했던 아버지가 집에 돌아오더니 빗방울을 털지도 않은 채 특유의 웃음을 지었다. 그러더니 품속에서 돈 뭉치를 꺼냈다. 집안 형편으로는 꿈도 꿀 수 없는 거액이었다.

그는 놀란 가슴을 진정시키며 물었다.

"아빠, 이 많은 돈을 어디서 구해오셨어요?"

그러자 아버지는 몹시 당혹스러워하며 말했다.

"그… 그건 신경 쓸 것 없다. 넌 대학에 가서 공부만 열심히 하면 돼."

그는 기쁨과 놀라움에 들떠 아버지 얼굴과 돈을 번갈아 쳐다보다가 불현듯 놀라 소리쳤다.

"아빠! 아빠 파이프는요?"

대대손손 내려온 보물 파이프가, 그토록 애지중지해 한시도 떼어놓지 않던 옥 파이프가 눈에 띄지 않는다는 사실을 비로소 눈치 챈 것이다.

아버지는 어색하게 씩 웃더니 그의 어깨를 툭 치며 말했다.

"그까짓 파이프가 뭐 대수냐?"

그는 눈물을 글썽이며 아무 말도 할 수 없었다.

세월이 흘렀다. 그는 대학을 졸업한 뒤 원하던 회사에 취직을 했다.

다시 20년이 흘렀다. 그는 회사의 사장 자리에 올랐다. 아버지는 이제 노인이 되어 있었다.

봄을 재촉하는 비가 내리는 어느 날, 그는 승용차에서 내려 비를 맞으며 집으로 걸어 들어갔다. 아버지의 여든 번째 생일이었다. 방 안에서 아버지 특유의 웃음소리가 들려왔다.

"하하하, 애비 생일날 맏이인 네가 늦다니…. 자, 이리 와서 벌주 세 잔을 받아라."

그를 반기며 아버지는 유쾌한 듯 소리쳤다. 그는 아버지를 꼭 껴안아 드리며 귀에 속삭였다.

"생신 축하드려요."

그는 붉은 포장지로 싼 선물을 아버지에게 내밀었다. 선물은 부피가 꽤 컸다. 라면 상자 크기였다.

"올해는 또 무슨 선물이냐?"

아버지가 상자를 귀 가까이에 대고 흔들어보았다. 하지만 아무 소리도 들리지 않았다.

"직접 뜯어보세요. 별것 아니에요."

아버지는 장난스러운 표정을 짓고 있는 그를 잠시 쳐다보더니 포장지를 뜯기 시작했다. 포장지를 벗기니 다른 색깔의 포장지가 나타났다. 그것을 풀어내자 또 다른 포장지가 있었다. 사람들이 한바탕 웃었다.

어린 아이들이 선물을 주고받을 때 흔히 하는 장난이었다. 아버지는 만면에 미소를 띠며 말했다.

"이 녀석은 아직도 어리광 피울 줄만 안다니까."

포장지를 열한 개 뜯고 나자 비로소 상자가 나타났다. 그런데 상자를 여니까 또 상자가 나타났다.

아버지가 한 방 맞았다는 듯 어깨를 으쓱했다. 그러자 실내에 다시 폭소가 터졌다.

좀전처럼 뚜껑을 열 때마다 새로운 상자가 나타났다. 여덟 개의 상자를 열고 나서야 그 속에서 빨간색으로 포장된 상자를 발견할 수 있었다. 라면 상자만큼 컸던 포장이 어른 손바닥 크기의 상자로 줄어들었다.

"이 녀석, 포장 뜯다가 늙어 죽겠구나. 네가 아직도 일곱 살 장난꾸러기인 줄 아느냐?"

"저야 아버지께 항상 장난꾸러기죠, 뭐."

모두들 박장대소하며 즐거워했다. 주방에서 음식을 준비하던 어머니까지 손을 닦으며 선물을 구경하러 다가왔다.

아버지는 마지막 포장지를 뜯고 천천히 상자를 열었다. 그는 흥분된 마음을 애써 감추며 아버지를 뚫어져라 쳐다보았다.

선물을 확인한 순간, 아버지의 눈이 크게 떠졌다. 아버지의 손이 부들부들 떨리는 것을, 그는 보았다. 아버지 특유의 웃음이 싹 사라졌다.

아버지는 떨리는 손으로 파이프를 꼭 쥔 채

아무 말도 하지 않고 두 눈을 꼭 감았다.

아버지의 눈꼬리에 걸려 있던 눈물이 주름을 타고

흐르기 시작했다.

눈물은 마치 아버지가

보내온 고난의 세월처럼

하염없이 이어졌다.

모두가 당황해했다.

'도대체 무슨 선물이기에 저이가 저렇게 놀라는 걸까?'

어머니가 고개를 빼고 보다가 대경실색했다.

"어머나, 이럴 수가! 이… 이건 당신 파이프 아니에요?"

그는 아버지 앞으로 다가서며 말했다.

"이 파이프를 15년 동안 찾아다녔어요. 전국에 있는 골동품 상들을 이 잡듯이 뒤졌거든요. 이번에야 겨우 찾아냈어요. 이제 아버지께 돌려 드릴게요. 너무 늦게 돌려드려서 죄송할 뿐입니다. 아버지, 사랑해요."

아버지는 떨리는 손으로 파이프를 꼭 쥔 채 아무 말도 하지 않고 두 눈을 꼭 감았다. 그는 아버지의 눈 끝에 눈물이 어리는 것을 보았다.

기억 속의 아버지는 눈물이 없는 분이었다. 항상 낙천적으로 웃는 모습이었다. 하지만 그는 알고 있었다. 일곱 식구를 먹여 살리려고 마음 속으로 얼마나 많은 눈물을 흘렸는지….

옛날에 아버지가 직장 상사를 집에 초대한 적이 있었다. 그가 아버지의 서류를 엉망으로 만들어놓았을 즈음이었다.

그 상사는 아버지보다 한참 젊어 보였다. 아버지는 그 젊은 상사의 환심을 사려고 무척 애를 쓰는 것 같았다. 젊은 상사가 거만한 투로 이야기할 때마다 아버지는 "네, 네" 하면서 고개를 조아렸다.

젊은 상사는 "능력도 없는 사람이 왜 이렇게 애를 많이 낳았느냐"고 면박을 주기도 했다. 그는 아버지가 젊은 상사를 집으로 초대한 까닭을 알 수 있었다. 잔뜩 술에 취한 상사가 아버지를 이렇게 꾸짖었던 것이다.

"애를 많이 낳았으면 간수를 잘하든가. 중요한 서류를 망쳐서 일이 잘못됐으니 대체 어떻게 책임질 겁니까?"

아버지는 한마디 변명도 못한 채 용서를 구할 뿐이었다. 그때는 아버지가 불쌍했고, 무능력하게 느껴지기도 했다.

멍하니 파이프를 들고 있는 아버지를 바라보며 생각에 잠겼다.

'아버지는 아무리 슬프고 원통한 일이 있어도 눈물을 보일 수 없었던 거야. 왜냐하면… 아버지니까. 아버지는 결코 식구들 앞에서 울면 안 되니까.'

그는 다시 고개를 들어 아버지를 응시했다. 아버지의 눈꼬리에 걸려 있던 눈물이 주름을 타고 흐르기 시작했다. 눈물은 마치 아버지가 보내온 고난의 세월처럼 하염없이 이어졌다. 그 누구도 아무런 말을 하지 않았다. 그저 아버지를 따라 눈물을 흘릴 뿐이었다.

세월이 흘러 그의 아버지는 땅으로 돌아갔다.

파이프는 그가 물려받았다. 그는 담배를 피우지 않지만 가보인 그 옥 파이프를 입에 물고 산다. 그 파이프는 그에게 아버지의 체취를 고스란히 느끼게 하는 '보물 1호'다.

누구에게나 '추억의 물건'이 있기 마련입니다.
그 물건은 지난 삶의 뚜렷한 증거입니다.
세월이 흐를수록 '보물'이 되는 물건은
시간이 지나도 버리지 못합니다.
물건을 보면 추억이 되살아나고, 그 추억이 현재를 밝게 비춥니다.
추억이 담긴 물건 하나쯤을 소중히 간직해보세요.

사람 믿어보기

노동 교화를 받던 범죄자가 도로 확장 공사에 동원됐다. 그는 공사를 하다가 큰돈을 주웠다. 그는 감독관에게 그 돈을 건네주었다. 그러나 감독관은 그를 모욕하며 말했다.

"왜 이러나. 돈으로 나를 매수해서 형을 줄이고 싶은 거지? 하여간 너희 도둑놈들은 그런 생각밖에 못한다니까."

죄수는 말 없이 고개를 떨구었다. 이 세상에는 더 이상 자신을 믿어 줄 사람이 없을 거라고 생각했다.

그날 저녁, 그는 탈옥을 했다. 그리고 이 집 저 집을 돌며 돈을 훔쳤다. 그 돈으로 외국으로 도망갈 생각이었다.

충분한 돈을 마련한 그는 국경으로 가는 기차를 탔다. 객차 안은 너무 붐벼 자리가 없었다. 할 수 없이 화장실 옆에 우두커니 서 있었다.

예쁜 아가씨가 그의 곁을 지나쳐 화장실로 들어갔다. 그녀는 안에서 문을 닫다가 문고리가 고장이 나서 잠기지 않는다는 것을 발견하고는 밖으로 나와서 탈주범에게 부탁했다.

"선생님, 문이 안 잠기네요. 실례지만 밖에서 문 앞을 막아주시면 감사하겠어요."

그는 멍해져서 아가씨에게 고개를 끄덕였다.

아가씨는 화장실로 들어갔다. 그는 충실한 경호원이 되어 문 앞을 단단히 지키고 서 있었다. 그리 길지 않은 시간이 흘렀다. 그는 갑자기 생각을 고쳐 먹었다.

다음 역에 기차가 멈췄을 때, 그는 기차에서 내려 자수하러 갔다.

살아가는 데는 공기와 물이 필요합니다.
그리고 또 하나, 신뢰가 필요합니다.
남을 믿지 않는다면 진심이란 있을 수 없습니다.
낮부터 밤까지 다른 사람을 경계해야 합니다.
단 한순간도 쉬지 못하게 되는 거죠.
다른 사람의 신뢰를 얻고 싶다면
먼저 그를 믿어야 합니다.

다른 눈으로 세상 보기

한 사람이 꿈을 꾸었다.

꿈속에서 어떤 2층집에 이르러 1층으로 들어가자 긴 테이블을 사이에 두고 사람들이 앉아 있는 게 보였다.

테이블 위에는 진귀하고 맛있는 음식이 가득했지만, 아무도 먹을 수 없었다.

마법사의 저주를 받아 모든 사람들의 팔이 구부러지지 않았던 것이다. 그래서 모두의 얼굴에는 불만이 가득했다.

문득 2층에서 유쾌한 웃음소리가 들려왔다.

그는 호기심이 일어 2층으로 올라가봤다.

2층에도 테이블 위에 맛있는 음식들이 차려져 있었다. 이들 역시 팔을 구부릴 수 없었다. 하지만 모두들 즐거워하며 음식을 먹고 있었다.

그들은 서로에게 음식을 먹여주고 있었다.

혼자서 음식을 먹을 수는 없었지만, 맞은편 사람의 입에 음식을 넣어 그들은 서로에게 음식을 먹여주고 있었다.

혼자서 음식을 먹을 수는 없었지만,

맞은편 사람의 입에 음식을 넣어줌으로써

배불리 먹을 수 있었던 것이다.

줌으로써 배불리 먹을 수 있었던 것이다.

기분이 안 좋을 때면 물구나무를 서는 남자아이가 있었습니다.
사람들이 이유를 묻자 말했습니다.
"서 있을 때는 짜증이 나는데요, 거꾸로 세상을 보면 모든
사람과 일들이 재미있게 느껴져요. 그러면 견디기가 좀 쉬워요."
관점을 바꿔 문제를 바라보면 마음이 조금 달라집니다.
뒤죽박죽 엉켜 있는 일 속에서 좋은 면도 발견할 수 있습니다.

마음을 열고 세상 관찰하기

자명종이 요란하게 아침을 알린다.

급히 일어나 전쟁 준비를 마친다. 일사천리로 준비가 이뤄진다. 자동차로 뛰어든다. 차를 몰아 당신보다 앞서 출전한 전사(戰士)들의 대열로 비집고 들어간다. 앞차의 뒤 범퍼에 바짝 붙는다. 조금이라도 틈을 주면 경쟁자들이 끼어든다.

당신 역시, 작은 공간만 보이면 고개를 들이민다. 이렇게 차선을 정신없이 바꾸며 최단시간 기록 경신을 시도한다.

회사에 도착한다. 주차장으로 질주해 들어가 예리한 눈으로 빈 자리를 포착한다. 재빨리 차를 움직여 빈 공간을 막는다. 그 자리를 노렸던 운전자가 흠칫 놀란다. 패배자.

차를 세우고는 엘리베이터로 줄달음질친다.

계속 울리는 전화벨 소리 속에서, 눈앞에 쌓인 일들을 처리한다. 점심 시간에는 패스트푸드를 먹으러 달려간다. 허겁지겁 음식을 입에 쑤

서넣고 돌아와 컴퓨터 화면에 눈을 고정시킨다.

회의에 회의를 거듭하고 나서야 밖에 어둠이 깔린 것을 발견한다. 이제는 집으로 돌아갈 시간, 다시 전사들의 퇴근 대열로 비집고 들어간다.

기억하는가? 하고 싶었던 일을 위해 시간을 내어본 것이 도대체 언제인지. 생활은 늘 바빠 '한가로움'은 이제 실현하기 힘든 이상이 되었다.

그러나 가던 길을 멈추고 잠시만 앉아보자. 그리고 관찰해보자.

개 한 마리가 주인을 끌고 가고 있다. 줄을 잡은 주인이 개의 힘을 당해낼 수 없는 듯 이리저리 끌려 다닌다.

개 주인 뒤에는 여자가 걸어간다. 그녀는 어린 남자아이의 손을 잡고 간다.

포장마차에서는 아기를 등에 업은 여자가 바쁘게 손을 놀린다. 아기의 뺨은 잘 익은 사과 같다.

열서너 살쯤 되는 소년이 자전거를 끌고 간다. 공이 굴러오자 오른쪽 발을 뻗어 한 무리의 소년들에게 차준다. 노란 기구가 하늘을 날아간다. 또 하나의 작은 태양 같다.

머리가 허연 노인이 큰 소리로 고양이를 부른다. 고양이는 이웃집 친구를 만나러 간 것일까?

머리를 길게 기른 두 사람이 팔짱을 끼고 다가온다. 가까워지고 나서야 왼쪽이 여자이고, 오른쪽이 남자라는 것을 알게 된다. 한 여학생이 티셔츠와 청바지를 입고 다가온다. 가슴에는 빨간색의 영어 문구가 씌어 있다.

'I LOVE YOU.'

오토바이를 탄 사람이 파란색 헬멧을 벗다가 떨어뜨린다. 앞 좌석의 바구니에는 표지가 반쯤 벗겨진 소설책이 들어 있다.

택시 기사가 횡단보도 앞에 차를 멈추고 신호등 색깔이 바뀌기를 기다리며 물병의 물을 한 모금 마신다.

노점상이 손수레를 밀고 어디론가 간다. 손수레에는 당근, 양파, 고구마, 배추 등 싱싱한 채소들이 가득하다. 그의 걸음걸이는 몹시 느렸다. 한 여자가 인파 속에서 유모차를 밀고 간다.

호객 소리가 거리에 울려퍼진다.

"하나 사면, 하나를 더 드려요. 덤입니다. 덤이에요. 두 개를 한 개 값에 사가세요."

그 사이 태양은 구름 속에 숨었다. 참새 한 마리가 전선 위에서 흥겨운 곡조로 노래한다….

인생의 행복과 즐거움은
평범한 일상의 구석구석에 숨어 있습니다.
발걸음을 멈춰 길가의 경치를 바라볼 때,
우연히 길을 잃었을 때,
가까운 길을 오히려 돌아갈 때,
당신은 아름답고 신비로운
인생의 풍경들을 발견하게 될 것입니다.

동창모임 만들기

고속도로에 안개가 짙게 깔려 있어 길은 갈수록 희미해진다. 잠시 후면 동창들과 만날 수 있다. 희부연 거리를 더듬으며 운전하느라 잔뜩 힘이 들어간 어깨와는 달리 얼굴에는 잔잔한 미소가 번진다.

학창 시절의 여러 가지 일이, 마치 어제 그랬던 것처럼 생생하게 느껴진다. 눈 깜짝할 사이에 20여 년이 지났다니…. 그해 십대였던 소년 소녀들을 오늘밤에 다시 만나게 된다.

'그 친구도 오늘 나올까?'

식당 밖에 차들이 줄지어 세워져 있다. 어떤 기사가 고급 승용차를 정성스레 닦고 있다. 그 옆에 주차된 20년도 넘어 보이는 낡은 소형 트럭이 정겹게 느껴진다.

식당 안이 떠들썩하다. 예상 밖으로 많은 친구들이 참석한 모양이다.

'그 친구도 저 안에 있을까?'

문을 열고 들어가자 몇몇 낯익은 얼굴이 눈에 들어온다. 옛 얼굴을 알아본 친구들이 이름을 부르며 뛰어와 손을 잡고 안부를 묻는다. 반가운 마음 이루 말할 수 없다.

다른 친구들도 속속 도착한다. 처음에는 서로 알아보지 못해 잠시 허둥대다가 이름을 잘못 부르거나 다른 친구로 착각해 폭소가 터지곤 한다. 잊고 있었던 어린 시절의 우스꽝스러운 별명들도 여기저기에서 튀어나온다.

20여 년 전의 기억들이 앞다퉈 눈앞에 나타난다. 마음속에 있던 모든 것을 말해버리고 싶어 자꾸 두리번거린다.

'그 친구는 어디 있지?'

깔깔대며 웃는 소리가 들린다. 한때 듣기 싫어하던 웃음소리였는데…. 천천히 눈길을 돌리자 웃음소리의 주인공이 보인다. 여전히 공주처럼 차려입은 그녀가 많은 친구들에게 둘러싸여 있다.

주차장에 세워진 고급 승용차 주인이 누구인지 알 것 같다. 그녀와 눈이 마주친다.

20여 년 전, 수업 시간에 웃음소리의 주인공은 이렇게 소리쳤다.

"선생님, 제 브로치가 없어졌어요. 누군가 훔쳐갔나봐요. 아빠가 외국에서 사다주신 비싼 건데 어쩌면 좋아요."

그러고는 고개를 돌렸다. 그 아이가 노려보는 눈길 끝에는 내가 있었다.

화가 난 선생님이 엄하게 말했다.

"가방에 있는 것을 모두 꺼내 책상 위로 올려놓아라. 주머니 속에 있는 것도…. 자, 빨리 움직여라! 나쁜 녀석들 같으니라구."

가방을 열고, 안에 있던 것들을 꺼냈다. 그런데 가방 바닥에 못 보던 것이 있었다.

브로치였다! 심장이 터질 것 같았다. 이제 도둑이라고 손가락질 당하는 일만 남은 것이다. 망설이다가 가방 속으로 손을 집어넣어 브로치를 쥐었다.

'그래, 네 소원이라면 기꺼이 도둑이 되어주마.'

그때 누군가의 손이 뒤에서 나타나 내 손가락을 풀더니 브로치를 빼앗아 갔다. 곧이어 나직하게 속삭이는 류이의 목소리가 들려왔다.

"괜찮아, 괜찮아."

류이가 벌떡 일어섰다.

"선생님, 제가 가져갔어요. 브로치가 아주 예뻐서 그랬습니다. 여동생 주려고 훔쳤어요. 잘못했습니다."

지금, 친구들 사이에서 웃던 그녀가 다가온다. 한 발짝 가까워질 때마다 마음이 아파온다. 그녀는 여전히 웃는 표정이다.

'류이는 왜 아직도 안 왔지? 연락을 받지 못한 걸까?'

류이는 그 다음 날부터 학교에 나오지 않았다. 그의 홀어머니가 학교에 다녀간 후, 전학을 갔다는 소문이 들렸다. 선생님은 그 친구에 대해 아무런 말씀도 하지 않았다.

'류이는 그때 왜 그랬을까?'

웃는 얼굴로 그녀가 말을 걸어온다. 강한 취기가 느껴진다. 많은 사람들과 건배를 한 모양이다.

"잘 지냈니?"

"응. 너는?"

한동안 침묵이 이어진다. 그녀는 손에 든 술잔을 다 비우고 나더니, 다시 탁자 위의 술병을 들어 넘치도록 따른다. 왜 저러는 걸까?

류이의 집으로 찾아간 적이 있었다. 그의 어머니는 한참 머뭇거리다가 "류이는 전학 간 게 아니라 학교를 그만두고 돈 벌러 떠났다"고 했다. 연락할 방법이 없겠느냐고 매달렸지만, 어머니 역시 연락처를 모른다고 했다.

훤칠한 미남 류이는 반 여학생들의 우상이었다. 그가 가난한 집 맏아들이라는 것은 나만 알고 있었다. 류이의 어머니는 내가 어렸을 때 우리 집에서 식모살이를 했다. 류이와 나는 어릴 때부터 가장 친한 친구 사이였다.

나를 바라보는 그녀의 눈에 원망이 가득하다. 왜 그렇게도 나를 미워했을까? 세상에 부러울 것이라곤 하나도 없었던 아이가.

그녀가 울음 섞인 목소리로 쏟아내듯이 말한다.

"너 때문이야. 너만 아니었으면…."

그녀와 말을 나누고 싶지 않다. 무슨 헛소리란 말인가.

그녀의 눈에 눈물이 고이더니 이내 흐르기 시작한다.

"네가 류이랑 그렇게 친하지 않았더라면 내가 그러지 않았을 텐데…. 내가 그러지 않았으면 류이도 지금 여기 함께 있었을 텐데…."

"무슨 소리야? 너 류이의 소식 아니? 그 애는 지금 어디 있지?"

그녀는 대답하지 않는다. 내 어깨에 고개를 묻고 울기만 한다. 옆에 서 있던 다른 친구가 말한다.

"4년 전에 죽었대. 애가 좀 전에 그 이야기를 듣고나더니 계속 술을 마시네. 큰 빌딩을 짓는 공사장에서 일했는데 높은 데서 떨어졌다지…."

그 순간, 가슴이 뻥 뚫렸다.

'그랬구나, 그랬었구나! 이렇게 너를 보려고 먼 길을 왔는데, 너는 오지 못하는구나. 그래서 네가 지금 이 자리에 올 수가 없구나.'

맥이 탁 풀리고 눈물이 주체할 수 없이 쏟아진다.

그때 내 어깨에 기대어 울던 그녀가 고개를 들고 말한다.

"미안해, 정말 미안해. 미안해서 어떡하지. 나 이제 어쩌면 좋을까?"

나는 그녀의 등을 쓰다듬어줄 뿐이다. 그리고 그녀의 귀에 대고 속삭인다.

"괜찮아, 괜찮아."

졸업하던 그날 이후, 우리의 우정은 우중충한 도시 속에 녹아버렸는지도 모릅니다. 문득 고개를 돌렸을 때, 친구들과 이미 연락이 끊어졌다는 사실을 깨닫고 결심합니다. '2년 후에는 꼭 만나야지' 하지만 이 기회를 놓치면 안 됩니다. 만약, 지금 만나지 않는다면 후회하게 될지도 모릅니다. 더 늦기 전에 벗들과 추억이 담긴 잔을 들어보세요.

낯선 사람에게 말 걸어보기

그는 버스 창문에 머리를 기댄 채 바깥 풍경을 바라봤다. 겨울 경치는 전혀 멋지다고 말할 수 없었다. 나뭇가지는 앙상했고, 차들은 눈이 녹아 진흙탕이 된 길 위를 달리고 있었다.

버스가 공원 옆을 지나가고 있었지만 아무도 창밖을 내다보지 않았다. 승객들은 두꺼운 옷을 입은 채 웅크리고 앉아 있었고, 몇몇은 가볍게 코를 골며 잠에 취해 있었다. 버스 안은 가끔씩 바스락거리는 신문지 소리가 들릴 뿐 깊은 침묵이 이어졌다.

이것은 버스를 타고 출근하는 사람들의 불문율이었다. 날마다 일정한 시간에 같은 버스를 타는 사람들은 얼핏 눈길이 마주쳐도 서둘러 자신의 신문 뒤에 숨고 싶어한다. 이것은 서로의 거리를 유지한 채 가까워지지 않으려고 하는 행동이다.

버스가 고층 빌딩들 사이 넓은 거리로 진입했을 때, 갑자기 누군가 크게 외쳤다.

"안녕하세요" 하고 말하는 것이

조금도 힘들지 않았다.

어떤 사람은 몇 번을 다시 말했다.

어느새 사람들의 낮은 웃음소리가

버스 안에 맴돌았다.

"여러분, 주목하세요! 여기 좀 보세요!"

여기저기 신문을 접는 소리가 이어졌다. 사람들이 목을 길게 빼서 내밀었다.

"저는 이 버스의 기사입니다."

차 안은 쥐 죽은 듯 조용해졌고, 사람들은 기사의 뒤통수를 쳐다봤다. 기사의 목소리에는 위엄이 실려 있었다.

"모두들 신문을 내려놓으세요."

사람들이 말 잘 듣는 유치원생들처럼 신문을 무릎 위에 내려놓았다. 깜빡 잠이 들었던 사람들도 웬일인가 싶어 눈을 비비고 기사를 쳐다보았다.

"고개를 돌리세요. 옆에 앉은 사람과 마주보세요. 자, 어서요!"

그런데 놀라운 것은 버스 안의 사람들이 운전 기사의 명령대로 했다는 점이다. 마치 단체로 마법에 걸린 듯했다.

그는 옆에 앉아 있던, 나이가 지긋한 부인의 얼굴을 마주봤다. 거의 날마다 만나는 부인은 머리에 스카프를 두르고 있었다. 두 사람은 서로 마주본 채 눈도 깜빡이지 않고 기사의 다음 명령을 기다렸다.

"여러분, 이제 저를 따라서 말씀하세요."

명령을 내리는 군대 교관의 말투였다.

"안녕하세요!"

승객들은 아주 어색한 표정과 작은 목소리였지만, 기사의 말을 따라했다.

"안녕하세요."

버스에 앉은 많은 사람들에게 그 인사는 오늘의 첫 한마디였다. 그들은 수업 시간에 교과서를 읽는 학생들처럼 일제히 옆에 앉은 낯선 사람에게 이 다섯 글자를 말하고는 자신도 모르게 살짝 미소를 지었다. 자연스레 떠오른 미소였다.

인사를 한 뒤 조용히 한숨을 내쉬는 사람도 있었다. 전에는 부끄러워서 낯선 사람들에게 인사한 적이 없었지만 지금은 그 낯가림이 어디론가 사라졌다는 것을 어렴풋이 깨달았다.

"안녕하세요" 하고 말하는 것이 조금도 힘들지 않았다. 어떤 사람은 몇 번을 다시 말했다. 악수를 청하는 사람도 있었고 통로 너머 사람과 인사를 나누기도 했다. 어느새 사람들의 낮은 웃음소리가 버스 안에 맴돌았다. 기사는 아무 말도 하지 않았다. 더 이상 말할 필요가 없었던 것이다.

다시 신문을 펼쳐 드는 사람은 없었다. 어떤 사람들은 이 괴상한 운전 기사에 대해 이야기했다. 그동안 버스를 타고 다니며 겪었던 이야기를 옆 사람에게 들려주기도 했다. 웃음소리가 점점 커지기 시작했다. 버스에서는 한 번도 들어본 적 없는, 따뜻한 소리였다.

버스는 그가 내려야 할 정거장에 도착했다. 그는 부인에게 내일 다시 만나자는, 오늘도 잘 지내시라는 인사를 건넸다.

그가 버스에서 내리는 사이, 정차한 다른 버스들도 승객들을 내려놓았다. 하지만 다른 버스에서 내리는 승객들은 바위 같은 표정을 하고 있었다. 바로 어제까지 그가 버스에서 내리며 짓던 표정이었다.

그는 미소를 지으며 떠나는 버스에 앉아 있는 승객들을 향해 손을 흔들었다. 다른 승객들 역시 그를 향해 손을 흔들어주었다.

"잘 가세요. 오늘도 힘을 냅시다."

서로를 격려하는 손짓이었다.

그는 고개를 돌려 그 운전 기사를 바라봤다. 백미러를 보며 차를 출발시키려는 그 운전 기사는 모를 것이다. 자신이 방금 '아침의 기적'을 만들어냈다는 사실을….

— 패티 위건드

From 『Reader's Digest』 ⓒ 1989 「Monday Morning Miracle」 By Pattie Wigand

낯선 사람이 매력적인 이유는
우리가 그들에 대해 아는 게 없다는 점 때문입니다.
한 번도 만난 적 없는 사람이 의외의 도움과 기쁨을 줄 수도 있습니다.
마음속에 숨겼던 말들을 때로는 낯선 이에게 할 수 있습니다.
운이 좋다면, 낯선 사람과의 우연한 만남이
평생 우정으로 발전할 수도 있지요.
바로 이 말처럼 말입니다.
"세상에 낯선 사람은 없다. 아직 알지 못한 친구가 있을 뿐이다."

사랑하는 사람 돌아보기

그녀는 시샘이 많다. 주변 여자들이 생일이나 결혼 기념일에 남편한테 받은 선물을 자랑할 때마다 부러워 죽을 지경이었다. 하지만 그녀의 액세서리는 다른 여자들에 비해 결코 적지 않았을 뿐 아니라 훨씬 고급스럽기까지 했다.

명품 숍을 돌아보는 것이 그녀의 가장 큰 취미였다. 누군가가 새로 수입된 핸드백을 가지고 나와 자랑을 하면, 반드시 복수를 해줘야 직성이 풀렸다. 그것보다 비싸고 좋은 것을 사서 상대방 코를 납작하게 해줘야 마음이 가벼웠다.

"내 것보다 비싼 제품이군요."

상대방이 눈을 크게 뜨고 물었다.

"누가 사준 거예요?"

앞의 말은 그녀의 자존심을 한껏 추켜세워주었지만, 뒤의 말은 그녀의 아픈 곳을 사정없이 건드렸다.

"내가 샀어요!"

그녀는 시원스럽게 대답했다. 그러나 속마음은 한없이 씁쓸했다.

'다른 남편들은 돈을 얼마 못 벌어도 아내한테 좋은 핸드백을 척척 사주는데, 우리 남편은 돈도 잘 벌면서 선물은 고사하고 왜 내 생일조차 기억을 못하는 거지?'

"돈을 줄 테니까 당신이 알아서 사. 알겠지?"

그녀가 타박할 때마다 남편은 이렇게 한마디 던질 뿐이었다.

'돈! 돈! 돈! 이 남자는 도대체 무드를 몰라. 평생 연애 소설도 한 권 안 읽은 모양이야. 장미꽃 한 송이와 예쁜 카드로 장식한 선물을 침대 머리맡에 살짝 놓아두면 얼마나 멋져?'

그녀는 도무지 로맨스를 기대할 수 없는 남편에게 쏘아붙였다.

"선물은 돈으로 따지는 게 아니에요. 가장 중요한 건, 마음이 담겨 있느냐라고요."

"그럼 그렇게 비싼 핸드백은 왜 사달라고 졸랐어? 마음이 담긴 싼 선물도 얼마든지 있는데 말야."

남편이 비꼬듯 대꾸하자 그녀는 정말 화가 났다.

"만약 당신이 어느 날 갑자기 죽으면, 나한테도 뭔가 남겨진 물건이 있어야 하지 않겠어요. 당신을 그리워할 수 있는 물건 말예요! 그런 것을 어떻게 싸구려로 해요?"

그녀는 말을 쏟아놓고 곧바로 후회했다. 남편의 옆모습은 전보다 늙어 보였다. 얼굴에 검은빛이 돌고 눈자위도 누렇게 변해 있었다. 요즘 일이 많아 피곤한 모양이었다.

그러나 미안했던 마음은 금방 사라졌다. 남편이 또 마음에 안 드는 소리를 한 것이다.

"내가 죽으면, 당신한테 돈을 모두 남겨줄게. 그게 훨씬 현실적이지 않아?"

사업가인 남편은 여전히 손에 든 서류에서 고개도 들지 않았다.

며칠 후, 남편이 일찍 퇴근했다. 남편은 집 안에 들어서자마자 아내를 확 끌어안았다. 평소의 그답지 않은 행동이었다.

'이 양반이 왜 이러나? 낭만이라고는 손톱만큼도 없는 사람이…'

오랜만에 외식을 했다. 내친김에 영화까지 보고 돌아왔다. 그녀는 벌어진 입을 다물지 못할 지경이었다.

남편에게 이처럼 자상한 면이 있으리라고는 상상해본 적이 없었다. 남편은 무미건조한 사람이었다. 하지만 오늘만큼은 그녀의 한마디 한마디에 귀를 기울여주었다.

잠자리에 들 시간이었다. 남편은 침대에 앉아 작은 손가방을 무릎 위에 올려놓더니 그 속에 손을 넣어 무언가를 만지작거렸다.

그녀는 궁금했지만 묻지 않았다. 그날 하루의 행복에 흠뻑 취해 있었기 때문이다. 남편과 즐거운 시간을 함께 보낸 것은 실로 오랜만이었다. 남편의 머릿속에는 오로지 사업 생각밖에 없는 것 같았는데, 그런 사람이 오늘은 180도 바뀐 것처럼 행동했다.

그녀가 세수를 마치고 잠자리에 들 채비를 했을 때도 남편은 여전히 손가방에서 손을 떼지 못하고 있었다. 그녀는 더 이상 참지 못하고 물었다.

"뭔데 그래요?"

무언가 골똘히 생각에 잠겨 있던 남편은 화들짝 놀라더니, 대답을 하지 못하고 우물쭈물 말끝을 흐렸다.

"으응… 별거 아냐."

"뭐가 별게 아닌데요? 그 속에 대체 뭐가 있어요? 나도 좀 봅시다."

남편은 황급히 손가방을 뒤로 감추며 마치 아침에 일어나 요에 실수한 것을 엄마에게 들킨 아이 같은 표정을 지었다. 그녀는 난생 처음으로 남편이 귀엽다고 느꼈다. 적어도 이 순간, 남편은 서류 뭉치에 빠진 일벌레가 아니었다. 남편이 사랑스러웠다.

그녀는 연애할 때처럼 남편에게 장난을 치고 싶었다. 그래서 남편의 손가방을 빼앗을 것처럼 달려들었다.

남편이 그녀의 손길을 뿌리치면서 말했다.

"알았어, 지금 줄게. 주면 될 거 아냐."

그녀를 위해 선물을 준비한 모양이었다.

"원래는 당신이 잠들면 머리맡에 몰래 두려고 했었어."

그녀가 웃음을 머금은 채 물었다.

"대체 뭔데 그래요?"

별로 기대는 하지 않았다. 일밖에 모르는 남편이 그녀의 취향을 알 턱이 없다고 생각했다.

남편이 겸연쩍은 표정으로 가방에서 무언가를 꺼냈다. 반지였다.

그녀는 고개를 숙여 반지를 보았다.

'설마…'

노란 알이 투명하면서도 영롱하게 빛나고 있었다. 그녀는 자신도 모르는 사이, 반지를 남편에게서 빼앗아 들었다. 그러고는 세심하게 살펴보기 시작했다.

'맙소사!'

심장이 멎는 것 같았다.

'남편한테 이런 선물을 받는 날이 있다니.'

그것은 3캐럿 옐로 다이아몬드였다.

언젠가 텔레비전에서 다이아몬드를 소개하는 다큐멘터리를 본 적이 있었다. 그때 옐로 다이아몬드를 보면서 그녀가 "죽기 전에 한번 껴보기라도 했으면" 하고 혼잣말을 한 적이 있었다. 그 소리를 남편이 들었던 모양이었다. 그녀가 무심코 한 이야기를, 남편은 지금까지 오래도록 기억하고 있었던 것이다.

그녀는 감동한 나머지 눈물이 다 날 지경이었다.

"고마워요, 여보."

한참 동안 반지를 만지작거리던 그녀는 손가락에 반지를 낀 채 잠자리에 들었다. 반지를 빼놓으면 흔적도 없이 어디론가 사라질 것 같아 두려웠다. 꿈만 같았다. 남편이 빙그레 웃으며 그녀를 바라보았다.

흥분이 쉽사리 가라앉지 않아 그녀는 좀처럼 잠을 이루지 못하고 뒤척였다.

'내일 이걸 끼고 나가면 모두 기절하겠지.'

그녀가 아는 사람들 중에 3캐럿짜리 다이아몬드 반지를 가진 여자는 아무도 없었다. 그것도 귀한 옐로 다이아몬드라니….

남편 역시 옆에서 엎치락뒤치락하고 있었다. 잠이 안 오는 모양이었다. 그녀는 남편을 만나 결혼한 것이 일생을 통틀어 가장 잘한 선택이라고 생각했다. 행복에 겨워 눈물이 찔끔 났다.

이때 남편이 갑자기 팔을 내밀어 아내를 뒤에서 끌어안았다. 오래, 아주 오랫동안 그렇게 안고 있었다.

그녀는 남편의 팔을 힘주어 잡았다. 그동안 남편에게 잘못한 일들을 진심으로 사과하고 싶었다.

남편이 먼저 입을 열었다. 담담한 말투였다.

"얼마 전에 회사에서 건강 검진을 받았거든. 그런데 오늘 결과가 나왔어…"

— 류융

사랑하는 사람이 당신에 대해 얼마나
생각하고 있는지 예단하지 마세요.
그것을 확인하기 위해 시험에 들게 하지 마세요.
지나치고 나서야 후회하게 됩니다.
세상은 이만큼, 후회할 여유조차 주지 않습니다.

단 하루, 동심 즐겨보기

"쯧쯧. 뭐 하나 제대로 하는 것이 없으니 매일 그 모양이지. 일할 자신이 없으면 집에 가서 애나 잘 보든가. 괜히 나서서 부하 직원들 고생만 시키고 있어."

그녀가 뒤돌아서 문을 열고 나설 때, 상사의 중얼거리는 소리가 들려왔다. 눈물이 핑 돌았다. 10분이 넘게 혼이 난 뒤였다. 그녀는 화장실로 달려가 물을 내렸다. '쏴아' 하는 소리와 함께 물이 빠져나갔다. 가슴 한켠에 꼭꼭 여며두었던 설움이 복받쳐오르기 시작했다. 물을 내리면서 한참 동안 울었다.

'사표를 던져버릴까.'

그러기에는 15년의 세월이 너무 아쉬웠다. 핸드폰으로 남편에게 전화를 걸었다. 그는 회의중이었다. '이 사람은 항상 이렇다니까. 내가 간절히 필요로 할 때는 언제나 없어.'

눈물을 닦고 화장을 고쳤다. 화장실로 들어오던 다른 부서 여직원이

거울 속의 그녀를 보더니 흠칫 놀라는 표정을 지었다. 그리고는 묘한 미소를 지었다. 그녀에게는 '다 알고 있다'는 표정으로 보였다. 모멸감을 느꼈다.

그녀의 팀은 최근의 프로젝트에서 연패를 기록했다. 알 수 없는 일이었다. 한번 일이 꼬이기 시작하더니 점점 수습할 수 없는 지경으로 내몰렸고, 나중에는 문제가 뭔지조차 알 수 없게 되어버렸다.

아침의 프레젠테이션만 해도 그랬다. 고객사의 중역들이 일제히 참석한 회의에서 그녀는 시종일관 수세에 몰렸다. 그 회사 임원들은 다친 얼룩말에게 달려드는 하이에나 무리처럼 그녀의 마케팅 계획을 물어뜯었다.

고객사 사장이 한참동안 듣고 있다가 한마디 던졌다.

"다 좋은데요, 뭔가가 부족해요. 너무 정형적이라서 대중에게 어필하는 데는 무리가 있을 것 같아요. 재미가 없어서…"

그것으로 끝이었다. 두 달 동안 철야근무를 해가며 준비한 프로젝트가 수포로 돌아가는 순간이었다. 그녀의 팀은 서로를 혹사시켜가며 회의에 회의를 거듭했지만 아이디어 기근에서 빠져나오는 데 실패했다. 머리를 맞댈수록 결과물은 초라해보일 뿐이었다.

이제, 그녀를 수식하던 '철의 여인'이니 '아이디어 공장'이니 하는 별명은 휴지통으로 들어간 지 오래였다. 회사에서는 이번 프로젝트가 그녀에게 준 마지막 기회라는 소문도 있었다.

자리로 돌아온 그녀는 휴가신청서를 작성했다. 휴가를 쓰는 것은 수년만의 일이었다. 그녀는 가장 최근에 휴가를 즐긴 것이 도대체 언제인지 기억하지 못했다. 그녀에게 있어 일은, 그녀 자체였다.

"응? 휴가 쓰려고? 그래, 좀 쉬면서 천천히 생각해봐."

상사는 그녀의 휴가가 퇴직으로 이어지기를 바라는 듯한 표정으로 말했다.

차를 몰고 어떻게 집으로 돌아왔는지 기억이 나지 않았다. 머릿속에는 '이게 내 한계일까' 하는 물음만이 가득 차 있을 뿐이었다.

한낮에 돌아온 엄마를 보고 아이는 반색했다.

"엄마, 연 만들어주세요. 할머니는 못 만드신대요. 그래서 엄마 오실 때까지 기다렸어요. 빨리요. 같이 연 만들어요."

그녀는 만사가 귀찮았다. 이불을 뒤집어쓰고 밀린 잠이라도 자야 시원할 것 같았다.

"자. 여기 돈 줄 테니까. 하나 사오렴."

"아뇨. 저는 연을 만들고 싶어요. 다른 애들도 연을 만들었는데 파는 것들보다 멋졌어요."

"그럼 나중에 아빠 오시면 같이 해보자. 엄마는 아프거든."

아이가 뾰로퉁한 모습으로 사라졌다. 한참 후 그녀가 이불 속에서 뒤척거리는데, 아이가 다시 나타났다.

"엄마. 연을 만들었는데 하늘을 날지 못해요. 왜 그런지 봐주세요."

"엄마는 지금 아프다니까 아빠랑 만들란 말얏!"

그녀가 짜증을 냈다. 아이는 그 자리에 서서 눈물을 흘릴 뿐이었다. 공연히 아이에게 화풀이를 했다는 생각이 들었다. 미안한 생각이 들었다. 회사 생활을 하면서 제대로 챙겨주지도 못했는데 화를 내다니. 내가 무슨 자격으로 화를 낸단 말인가.

아이가 만든 연은 평평했다. 적당히 휘어져야 하는데 그것을 모르고 모양만 흉내낸 것이었다.

"미안해. 엄마가 잘못했어. 여기를 잘 못 만들었거든. 그래서 뜨지 못하는 거야. 엄마도 옛날에 할아버지랑 연을 만들 때 이런 실수를 했단다."

연이 완성됐다.

아이는 밖에 나가서 같이 연을 날리자고 했다.

옷을 입고 아이를 따라 나섰다. 아이는 모처럼의 동행에 감격한 모양이었다. 아는 아이들을 지나칠 때마다 '우리 엄마야. 엄마가 연을 만들어주셨어' 하고 자랑했다.

그녀가 어릴 적 다녔던 초등학교에 도착했다. 지금은 아이가 다니는 곳이었다. 30여 년 만에 찾은 학교는 그녀가 다녔던 때와 다른 모습이었다.

'운동장이 왜 이렇게 작지? 그때는 굉장히 넓어서 전교생이 체육대회를 했는데.' 그녀는 이내 운동장이 줄어든 것이 아니라, 자신이 훌쩍 커버린 것을 깨달았다. 어릴 때보다 높은 시선에서 운동장을 바라보게 됐다는 것을 실감했다.

"엄마, 연을 잡고 따라 오다가 놔주시면 돼요. 알았죠?"

아이를 따라 달려가다가 연을 놓아주었다. 연이 바람을 타고 높이 솟아올랐다. 아이가 탄성을 질렀다. "와. 우리 연이 날아요. 와~" 그녀도 탄성을 질렀다. 연은 4층짜리 학교 옥상보다 높게 올라갔다. 그녀는 오후 내내 아이와 놀아주었다. 술래잡기를 하고 흙장난도 했다.

돌아오는 길에 아이와 군것질을 했다. 그녀가 아이에게 물었다.

"연 만들고 날리니까 좋았어?"

"그럼요. 오늘은 참 신났어요."

"뭐가 그렇게 좋았지?"

"재미있잖아요. 재미있는 게 최고죠. 엄마도 재미있었죠?"

그녀의 얼굴이 갑자기 굳어졌다. 뭔가가 갑자기 마음속에 들어와 폐부를 건드리는 느낌이었다.

'재미라니!'

나는 지금 얼마나 재미있게 살고 있는 것일까? 하루하루 일과에 쫓겨 구태의연한 스타일만 반복하고 있었던 것이 아닐까? 부하 직원들을 닦달하고 스스로를 채찍질하면서 얻은 것이 과연 무엇일까? 회사에서의 모습이 떠올랐다. 그녀는 늘 인상을 쓰고 있었고, 직원들은 항상 피곤에 찌들어 있었다.

'재미라….'

회사 일이 언제나 재미가 없었던 것은 아니다. 불과 지난해까지만 해도 그녀와 팀원들에게는 활력이 넘쳤다. 서로 짓궂은 농담을 던지기 일쑤였고, 오가는 농담 속에서 장시간 회의를 하는 줄도 모를 정도였다.

그녀는 곰곰이 생각해보았다. 프로젝트에 실패하기 시작한 시점은, 공교롭게도 그녀가 실적에 쫓겨 여유를 잃었을 때와 정확히 일치하고 있었다.

회의에서 농담이 사라졌고, 불신이 그 틈을 비집고 들어왔다. 누군가 아이디어를 내면 다른 사람들로부터 공격을 받기 일쑤였고, 서로가 눈치 보기에 급급해졌다.

책임은 부서장인 그녀에게 있었다. 더 많은 성과를 내려는 욕심이 조직으로부터 '일 하는 재미'를 빼앗아갔던 것이다.

그날 밤 그녀는 잠을 이루지 못했다. 뜬 눈으로 뒤척이며 하얗게 밤을 지새웠다.

다음날 아침, 그녀는 전화기를 들었다. 상사가 전화를 받았다.

"전데요. 오후에 출근하겠습니다. 지난 일이야 지난 일이고, 앞으로의 일이 더 중요하잖아요."

그녀의 눈은 붉게 충혈되어 있었지만 피로가 느껴지지는 않았다. 아이와 보낸 반나절 동안 그녀는 소중한 무엇인가를 확인했다.

그것은 한동안 그녀가 잃어버린 것이었다.

단 하루만이라도 좋습니다. 동심으로 돌아가 보세요.
잃었던 재미를 발견할 수 있을 겁니다.
위대한 업적을 남긴 사람들에게는 공통점이 있습니다.
'재미를 찾을 줄 안다'는 것입니다.
아이디어의 원천은 재미에 있거든요.
당신의 내면에서 잠자고 있던 '아이'를 끌어내보세요.

동물 친구 사귀기

그를 겪어본 사람들 모두 그를 '망나니'라고 불렀다. 학교에서 선생님의 꾸지람이라도 들으면 곧바로 가방을 싸서 집으로 와버리곤 했다. 자라면서는 주색잡기에 빠졌다. 집 안을 온통 뒤져 돈을 들고 가출하는 게 일이었다. 돈이 떨어지면 집에 돌아와 소일을 했다.

부모는 '장가 들면 정신을 차리겠지' 하는 마음에 결혼을 시켰다. 신부는 몰락한 명문가 출신으로, 돈으로 사온 것이나 다름없었다. 사람들은 그녀를 보면서 혀를 끌끌 찼다.

"저렇게 집안 좋은 아가씨가 어쩌다가 저런 못된 인간한테 시집을 왔을까."

그의 집에서 강아지 짖는 소리가 들린 것은 이때부터였다. 신부가 기르던 강아지를 시집 오면서 데리고 온 것이었다.

결혼을 하고도 그의 생활은 바뀐 것이 없었다. 날마다 술에 절어 살았고 걸핏하면 아내에게 주먹질을 했다.

그러던 어느 날, 그가 아내가 힘들게 일해서 번 돈뿐 아니라 패물까지 모두 훔쳐 도망갔다는 소문이 퍼졌다. 사람들은 이구동성으로 말했다.

"그 자식, 아예 안 돌아왔으면 좋겠네."

보름이 채 안 되어 그가 다시 돌아왔다. 들것에 실린 반송장 신세였다. 도박판에 끼어들었다가 돈을 모두 잃고 뭇매까지 맞았다는 것이었다. 거동을 할 수 없을 정도로 부상이 심했다.

아내가 그의 병수발을 들었다. 죽을 떠먹이고 대소변을 받아내는 고역을 치르면서도 그녀는 남편이 안쓰러웠다.

한편으로는 '이 사람이 회복된 다음에 또 매질을 하면 어떡하나' 하는 생각이 들기도 했다. 아내는 남편이 불쌍하면서도 여전히 무서웠다.

그는 어느덧 몸을 일으킬 수 있을 정도로 회복되었다. 기운이 좀 나니 무료해서 미칠 지경이었다.

'마누라는 밥줄이니 손을 댈 수 없고….'

마침 눈에 들어온 것이 강아지였다.

강아지에게 손짓을 하니 쪼르르 문 앞으로 달려왔다. 그는 잠시 쓰다듬어주는 척하다가 호되게 강아지 머리를 때렸다.

"깨갱깨갱."

비명을 지르며 강아지가 도망쳤다. 그런데 잠시 후 그가 다시 손짓을 하자 슬금슬금 다가왔다.

"어? 이놈 봐라. 멍청이가 따로 없구나."

그는 또다시 강아지 머리에 알밤을 먹였다. 강아지는 혼비백산해 자기 집으로 달아났다. 하지만 조금 지나자 고개를 내밀고 그의 눈치를 키노는 아이들의 친구였다.

늘 아이들과 함께했다.

첫 아이가 걸음마에 성공했을 때

키노는 아이 주변을 돌며 기쁜 듯이 짖었다.

키노는 가족이었다.

보기 시작했다.

그가 부를 때마다 강아지는 꼬리를 흔들며 다가왔고, 그는 아까처럼 데리고 노는 척하다가 쥐어박기를 반복했다. 반나절 동안 그는 이런 식으로 강아지를 희롱했다. 부엌에서 지켜보던 아내가 더 이상 못 참겠다는 듯 한마디 했다.

"멍청해서 그런 게 아니에요. 충성스럽기 때문에 그런 거예요. 주인이 때릴 것을 뻔히 알면서도 오잖아요. 제발 그만 때리세요. 불쌍하지도 않아요."

그가 지나가듯이 물었다.

"이놈 이름이 뭐지?"

"키노예요."

"그게 무슨 뜻이야?"

"영화(映畵)라는 뜻의 러시아 말이에요."

이 말을 들은 그가 버럭 화를 냈다.

"그래, 너 좀 배웠다 이거지? 너 잘났다, 잘났다고!"

그는 있는 힘껏 강아지를 후려쳤다. 강아지가 비명을 토하며 도망쳤다. 이번에는 무척 아팠던지 집에 숨어들어 고개를 내밀 생각을 하지 않았다. 낑낑거리며 앓는 소리가 그치지 않았다. 아내가 왈칵 눈물을 쏟아내며 돌아섰다.

잠시 후, 그가 입을 열었다.

"키노야! 이리 와."

강아지가 눈치를 살피더니 그에게 다가왔다. 그는 강아지를 때리지 않았다. 강아지의 눈을 살펴볼 뿐이었다.

강아지의 눈가에 눈물 흐른 자국이 보였다. 이후로 그가 누군가를 때렸다는 이야기는 들리지 않았다.

세월이 흘러 식구가 늘었다. 딸 둘과 아들 하나가 생겼다.

키노는 아이들의 친구였다. 늘 아이들과 함께했다. 첫 아이가 걸음마에 성공했을 때 키노는 아이 주변을 돌며 기쁜 듯이 짖었다. 그 아이가 자라 첫 등교를 하던 날에는 문 밖까지 바래다주기도 했다. 키노는 가족이었다.

어느 날, 그의 가족은 키노가 예전 같지 않다는 것을 느꼈다. 다리를 절뚝거렸고, 아이들이 불러도 굼뜨게 움직였다. 키노를 진찰한 수의사는 "너무 늙어서 생명이 얼마 남지 않았다"고 말했다.

며칠 후, 꼼짝 못하고 누워 있는 키노를 발견한 아내가 방으로 안고 들어와 푹신한 방석 위에 뉘였다. 키노는 내내 눈을 감고 있었다. 한여름이었는데도 추운 듯 몸을 떨었다. 아내가 담요를 꺼내 덮어주었지만 소용이 없었다.

온 가족이 키노를 빙 둘러싸고 앉아 아무런 말도 하지 않았다. 키노만 조용히 바라볼 뿐이었다. 생명의 불씨가 꺼져가는 키노를 위해 무엇이든 하고 싶었지만 해줄 게 아무것도 없었다. 그들이 할 수 있는 일이란 그저 키노 곁을 지키는 것뿐이었다.

잠시 후, 키노가 힘없이 눈을 떴다.

"키노야!"

딸아이가 애처롭게 이름을 불렀다.

아이는 할머니에게 저승사자 이야기를 들은 적이 있었다.

"사람은 저승사자가 데리러오면 따라가야 한단다. 그렇지만 사랑하는 사람들이 이름을 크게 불러주면 달라지지. 뒤를 돌아보고 다시 돌아올 수도 있어. 하지만 저승사자가 깜짝 놀랄 만큼 크게 불러주어야 한단다."

"아빠, 엄마. 우리 모두 키노를 불러요. 빨리요. 멍멍이 저승사자가 데려가지 못하게요. 키노야, 키노야!"

개들의 세상에도 저승사자가 따로 있는 줄 아는 모양이었다.

아이들이 키노의 이름을 크게 불렀다. 아내도 따라했다. 그도 "키노야" 하고 힘차게 불렀다.

키노가 기운을 차리는 것 같았다. 꼬리를 살짝 움직였다. 그러자 힘을 얻은 아이들이 더 큰 소리로 "키노야!" 하고 불렀다. 조금만 더 힘껏 부르면 키노가 훌훌 털고 일어날 것 같았다. 정말로 키노가 고개를 들었다.

키노는 자신을 부르는 사람들을 천천히 둘러보았다. 가족들의 얼굴을 마지막으로 기억하고 싶다는 뜻이었을까? 키노의 눈과 마주쳤을 때, 그는 이 동물 친구에게 진심으로 사과했다.

키노는 한 번도 그를 배신한 적이 없는 진실한 친구였다. 키노의 마지막 눈망울에서 그는 원망의 기색을 조금도 발견할 수 없었다.

키노는 이내 고개를 앞발 사이에 파묻고는 더 이상 움직이지 않았다. 마치 잠이 든 것처럼 조용히 숨이 멎었다.

아내가 말했다.

"키노는 더 좋은 다른 세상으로 떠났단다. 이제 편히 쉴 수 있을 거야."

아이들이 서러운 울음을 터뜨렸다. 아내도 흐느껴 울기 시작했다.

그의 눈에서 굵은 눈물이 하염없이 떨어졌다. 그에게도 뜨거운 눈물이 남아 있었다.

생명을 구성하는 것은 시간입니다.
삶의 하루하루가 모두 그 안에 내재된 아름다움을
지니고 있습니다. 생명을 감상하세요.
마음을 침착하게 하고,
삶 속의 유쾌한 순간들을 웃으면서 바라보세요.
말로 표현하기 힘든 작은 감동들을 깊이 느껴보세요.
가장 좋은 방법은 동물 친구를 사귀는 것입니다.

3주 계획으로 나쁜 습관 고치기

의사는 그녀에게 "더 이상 패스트푸드를 먹지 않는 것이 좋겠다"고 주의를 주었다. 그녀의 건강에 위험 신호가 켜졌다는 메시지였다.

그동안 그녀는 하루에 두 끼는 패스트푸드로 해결했다. 아침을 거르고 점심과 저녁을 패스트푸드점에서 사다 먹었다. 탄산음료도 입에 달고 살았다.

의사는 이제 단것과 인스턴트 음식을 끊고, 채소와 과일을 많이 먹도록 노력하라고 했다.

그녀는 3주 계획으로 그것을 실천해보기로 했다. 권장 음식 목록을 냉장고에 붙여놓고 스스로를 일깨웠다.

솔직히 말해서, 첫째 날은 돌아버릴 것 같았다. 그녀는 바쁘게 움직이려고 노력했다. 그러나 머릿속에서 냉장고 속의 음식들이 미친 듯이 날뛰었다. 냉장고 속에는 그녀뿐 아니라 가족 모두가 좋아하는 초콜릿 케이크와 비스킷, 프라이드 치킨이 들어 있었다.

가족들 가운데 정상 체중인 사람은 한 명도 없었다.

다음 날, 식구들이 피자와 햄버거를 사다 먹는데, 그녀 혼자만 과일과 채소를 먹었다. 식구들이 한마디씩 하며 놀렸다.

"엄마, 이번 한 번만 눈감아줄 테니까 이 피자 한 조각만 먹어봐요. 정말 맛있어요."

"싫다. 너도 이리 와서 야채를 같이 먹지 않을래? 우리 가족은 이제 건강을 생각해야 돼."

"엄마, 저번에도 그러다가 이틀을 못 갔잖아요. 빨리 포기하는 게 낫지 않을까요?"

"아니, 이번에는 진짜야."

일주일이 지나자 냉장고 속의 음식들이 그녀의 머리에서 사라졌다. 속으로 무척 우쭐해졌다. 3주가 지나면서 습관으로 굳어졌다. 그녀는 더 이상 단 음식을 찾지 않았다. 체중이 꽤 줄었다는 것을 확인할 수 있었다.

하지만 진정한 시험은 그 뒤에 있었다.

그녀와 남편은 평소에 사이가 좋지 않았다. 티격태격 싸우지는 않았지만 그들은 거의 남남처럼 지냈다.

가장 큰 문제는 그녀가 항상 남편의 트집을 잡는다는 것이었다. 그녀도 그것을 잘 알고 있었지만, 정말 유감스럽게도 그에게는 단점이 너무 많았다.

그녀는 잔소리꾼이 되고 싶지 않았지만 종종 자신을 억제할 수 없었다. 남편은 그녀를 향한 마음의 문에 빗장을 단단히 건 것처럼 보였다.

하지만 그런 남편을 탓할 수는 없었다. 그녀는 곰곰이 생각했다.

'내가 과연 바뀔 수 있을까? 나 자신이 바뀌기를 원하고 있기는 한 걸까?'

그녀는 다시 3주 계획표를 만들었다. 먹는 습관을 바꾸는 데 성공했으니, 부부 관계를 개선하는 것도 가능성이 없는 것은 아닐 것이다.

그녀는 남편의 좋은 점을 찾기로 했다.

역시 쉽지 않았다. 이것이야말로 가혹한 시련이었다. 첫날부터 남편의 많은 부분이 눈에 거슬렸다. 예를 들자면 이런 것들이다.

'왜 저이는 음식을 먹은 다음, 그 자리를 치우지 않고 그냥 일어나는 것일까? 왜 저 이상한 옷을 입는 것일까? 왜 저렇게 씻지 않는 것일까?'

그녀는 남편의 좋은 점을 단 하나도 찾을 수가 없었다.

설마, 정말 단 한 가지도 좋은 점을 찾을 수 없단 말인가. 그것은 당연히 아니었다.

집에 수리할 것이 있으면, 손재주가 있는 남편은 두드리고 만져서 금세 고치곤 했다.

"어머, 형광등 스위치를 고쳐놨네요. 당신 정말 대단해요!"

그녀는 짐짓 미소를 띠며 남편에게 말했지만 평소와 달리 과장이 섞여 있었으므로 몹시 부자연스러웠다.

둘째 날, 그녀는 남편에게 이렇게 말했다.

"당신은 내 결점을 잘 참아주고, 나처럼 잔소리를 하지 않아서 참 좋아요. 복 받은 여자죠, 저는."

그러자 남편이 이상한 표정을 지으며 웃었고, 그 억지 웃음을 본 그녀 역시 머쓱해졌다.

"이 방법은 안 통하겠군."

그녀는 나지막이 중얼거리며 돌아섰다.

그 다음 며칠 동안 그녀는 여전히 남편의 장점을 찾으려고 애썼다. 또 마음에도 없는 입에 발린 말을 로봇처럼 반복할 뿐이었다.

하지만 3주째가 되자 남편의 장점을 찾는 일이 쉬워졌다. 그는 누구보다 진실한 사람이었고, 아이에게도 다정했다. 왜 그녀는 그동안 그의 단점만을 보아왔던 것일까?

3주가 지나자 그녀 자신도 믿을 수 없을 만큼 남편을 칭찬하는 일이 아주 쉬워졌다. 조금도 어색하지 않았다. 확실히 남편도 전과는 많이 달라 보였다.

그녀를 훨씬 친근하게 바라보았고, 자신의 일 이야기를 꺼내며 이런 저런 의논도 해왔다. 얼마 전까지만 해도 상상할 수조차 없는 일이었다.

4주가 지나자, 남편은 그녀가 예전과 확 달라졌다고 말했다.

"그래요."

그녀는 말했다.

"잔소리하는 나쁜 습관을 고치려고 계속 노력했어요."

남편은 무척 감동한 듯 고개를 끄덕이며 말했다.

"그랬었군! 나 스스로도 그렇고, 우리 둘 사이도 훨씬 좋아졌다고 느꼈어. 정말 고마워. 나도 그동안 노력해야 했는데…. 더 좋은 남편과 더 좋은 아빠가 되려고 말이야."

그 말에 보람을 느낀 그녀는 남편에게 3주 변화 계획과 그 결과에 대하여 설명해줬다. 그러자 남편도 그렇게 한번 해봐야겠다며 조용히 웃었다.

습관은 하루아침에 형성되는 것이 아닙니다.
좋지 않은 습관을 바꾸고 싶다 해도 단번에 성공할 수는 없습니다.
전문가들은 사람이 오랜 습관을 바꾸는 데 최소한 3주의 시간이
걸린다는 사실을 알아냈습니다. 따라서 습관을 고치려면,
반드시 자신에게 얼마 동안의 시간을 주어야 합니다.
그런 다음, 더 좋은 습관이 그 자리를 대신하도록 해야 합니다.
평범한 사람이라면 생활 속에서 개선해야 할 부분이 많습니다.
우선, 시작이 중요합니다. 시작을 해야 목표에 도달할 수 있습니다.

인생의 스승 찾기

그녀는 다른 아이들과 어울리면서부터 자신이 남들과 다르다는 사실을 깨닫고 화가 났다. 하루하루 사는 게 싫었다. 세상을 증오했다. 어떻게 언청이로 태어났단 말인가.

학교에 들어가자 친구들이 그녀를 놀렸다. 사람들이 자신의 모습을 무척 싫어하고 혐오한다는 것을 그녀는 분명히 깨달았다.

입술은 보기 싫게 일그러졌고 코는 구부러졌으며 이는 비뚤비뚤하게 났다. 또 말까지 더듬는 여자아이를 누가 좋아하겠는가.

부모조차 낯선 손님이 방문하면 그녀에게 "방에 들어가 나오지 말라"고 신신당부했다.

아이들은 참 이상하다는 듯이 그녀에게 물었다.

"넌 입이 왜 그러니?"

그녀는 어렸을 때 넘어져서, 땅에 있는 유리 조각에 입술을 찔려 다쳤기 때문이라고 거짓말을 했다. 그렇게 말하는 것이 태어날 때부터 언청이라고 말하는 것보다 견디기 쉬웠다.

그녀는 날이 갈수록 확신하게 됐다. 가족 외에는 아무도 자기를 사랑하지 않을 것이며, 좋아해줄 사람조차 없을 거라는 사실을 말이다.

2학년이 되자 그녀는 류 선생님 반이 되었다. 류 선생님은 아름답고, 따뜻하고, 상냥한 분이었다.

모든 아이들이 선생님을 좋아하고 존경했다.

하지만 그녀보다 선생님을 사랑하는 아이는 없었다. 그녀와 류 선생님 사이에 특별한 사연이 있었기 때문이다.

저학년 아이들은 해마다 '귓속말 시험' 이라는 것을 치렀다. 차례대로 앞으로 걸어나가 오른쪽 귀를 막으면, 왼쪽 귀에 선생님이 한마디씩 속삭이는 것이다. 그러면 아이는 방금 들은 것을 큰 소리로 말해야 한다.

그런데 그녀는 선천적으로 왼쪽 귀가 멀어서 소리를 들을 수 없었다. 그녀는 이 사실을 굳이 선생님께 이야기하고 싶지 않았다. 친구들이 더 놀릴 것이 뻔했기 때문이다.

그녀는 '귓속말 시험'을 잘 치를 자신이 있었다. 그녀는 그와 비슷한 놀이를 할 때, 귀를 정말 막았는지 사람들이 확인하지 않는다는 사실을 알고 있었다. 들은 말을 제대로 하는지만 확인할 뿐이었다.

그녀는 아이들과 놀 때마다 귀를 막은 척만 했고 한 번도 들킨 적이 없었다.

그녀는 가장 마지막 차례였다.

아이들은 모두 '귓속말 시험'을 잘 마쳐서 기분이 들떠 있었다. 그녀는 선생님이 무슨 말을 할까 궁금했다. 앞서 시험을 끝낸 아이들은 "하늘은 파란색이다"라거나 "너는 새 신발이 있니?" 같은 문장을 말했다.

그녀의 차례가 되었다.

그녀는 왼쪽 귀를 류 선생님께 향하고 오른손으로 귀를 꽉 막는 척했다. 그런 다음, 막았던 손을 살짝 들었다. 이렇게 하면 선생님의 말씀을 놓치지 않고 들을 수 있다. 그녀는 숨을 죽인 채 선생님의 말씀을 기다렸다. 잠시 후, 선생님은 그녀의 귀에 입술을 바싹 대고 뭐라고 속삭였다.

선생님의 말씀 한마디가 따스한 햇살처럼 그녀의 마음을 비춰주었다. 그 말은 그동안 상처받았던 어린 영혼을 부드럽게 어루만져주었다. 그리고, 인생에 대한 그녀의 생각을 송두리째 변화시켰다. 그때, 그녀의 인생이 시작된 것이었다.

선생님의 나지막한 속삭임을 들은 그녀는 너무 놀라 꼼짝도 못하고 그만 얼어붙어버렸다. 눈물이 볼을 따라 하염없이 흘러내렸지만 그녀는 아무 말도 할 수 없었다.

그녀는 한참을 나무 인형처럼 서 있었다.

선생님이 그녀의 귓가에 속삭인 말은 바로 이 한마디였다. 선생님의 말 한마디는 점점 커져 그녀의 가슴속을 가득 채웠다.

"네가 내 딸이었으면 좋겠구나!"

— 메리 앨버트

116

이런 '은인'을 만난 적이 있습니까?
기나긴 삶의 여정에서 스승이나 은인의 도움은 큰 영향을 끼칩니다.
스승은 꼭 필요하고 기다리던 때에 당신 앞에 나타나,
함께 여정에 오르고 올바른 방향으로 이끌어줍니다.
하지만 간과하지 말아야 할 것이 있습니다.
결국은 모두가 스스로 성장해야 한다는 점이죠.
따라서 당신의 목적은
스승의 부축을 받으며 독립하는 법을 배우는 것입니다.
그리고 당신도 다른 이의 스승이나 은인이 되어주어야 합니다.
무심코 던진 말 한마디가 어려움에 빠진 다른 누군가에게
무한히 큰 깨우침이 될 수 있습니다.
당신도 다른 사람의 기억 속에 은인으로 남을 것입니다.

큰 소리로 "사랑해" 라고 외쳐보기

나의 ID는 '리치'다. 인터넷에 접속해 채팅을 하다 보면 '데이비드'란 ID를 쓰는 사람을 자주 만나게 된다. 그는 장기 출장 중이며 무료하고 따분해 인터넷에 자주 접속한다고 했다. 데이비드는 대단히 유쾌하고 재주가 많은 사람이었으며 새로운 유머를 많이 알고 있었다. 음악, 특히 클래식과 팝에 대해서도 박식했다.

그날도 그의 재치 있는 농담에 배꼽을 잡고 있는데 그가 메시지를 보내왔다.

"제가 노래 한 곡 보내줄게요. 이 노래를 들으면 큰누나가 생각나요."

그래서 내 하드웨어에는 「Big Big World」라는 노래 한 곡이 저장됐다.

"Outside it's now raining … (중략) I have your arms around me. warm like fire. But when I open my eyes you're gone…"

(지금 밖에는 비가 내리고… 따사로운 당신 품에 나는 안겨 있어요. 하지만, 눈을 떠보니 당신은 가버리고 없네요…).

이 노래를 들으며 나는 데이비드와 잊지 못할 대화를 나눴다.

데이비드 : 이 노래를 듣다보면 큰누나가 생각나요. 제가 막내라 큰누나가 저를 귀여워해줬거든요. 어렸을 때 한번은 제가 열이 심하게 났는데요, 누나가 밤새도록 옆에서 간호를 해줬어요. 열이 내려서 아침에 일어나보니 누나가 제 뻣뻣해진 몸을 주무르면서 졸고 있더군요.

리치 : 정말 가슴 따뜻한 추억이네요.

데이비드 : 참 대단한 누나였어요. 우리 집은 가난해 누나를 상급 학교에 보내지 못했어요. 그래서 누나는 친구들 책을 빌려보면서 독학을 했죠. 우리들을 돌보면서 혼자 공부까지 했으니 무척 힘이 들었을 겁니다. 집에선 시집 가라고 성화였어요. 하지만 마음에 안 든다고 세 번이나 도망쳤다가 잡혀 와서 아버지한테 죽도록 맞았어요. 누나는 결국 자신이 마음먹은 대로 대학에 들어갔죠.

리치 : 정말 대단한 여장부시네요.

데이비드 : 그런데 그때 저는 철이 안 들어서 누나한테 한 번도 고맙다는 말을 못했어요. 큰누나는 그렇게 하는 게 당연하다고 생각했거든요.

리치 : 그래도 정이 많으신 것 같은데요.

데이비드 : 만약 선택할 수만 있다면, 내 남은 인생을 그 순간하고 바꾸고 싶어요. 큰누나 품 안에서 따뜻했던 순간과….

리치 : 누님은 정말 행복한 분이네요, 이런 동생 분이 계시니….

데이비드 : 큰누나 생각이 날 때마다 저도 모르게 슬퍼져요. 제 아내는 저를 만나고 지금까지 제가 우는 것을 딱 한 번 봤대요. 큰누나가 돌아가셨을 때요.

리치 : 앗! 돌아가셨군요. 마음이 정말 아팠겠어요.

데이비드 : 누나에게 잘못한 게 많아요. 영원히 아픔으로 남을 것 같아요.

리치 : 그 마음을 가슴속에 묻고 잘사세요. 당신이 행복하면 누님도 천국에서 행복해하실 거예요.

데이비드 : 큰누나를 정말 사랑해요. 그리고 존경해요. 지금 생각해보면 큰 문제가 생길 때, 제가 큰누나처럼 그렇게 용감하게 맞설 수 있을지 의문이에요.

리치 : 사람들은 남에게 감정을 표현할 때 늘 창피하다고 느껴요. 가족에게는 더욱 그런 것 같아요. 하지만 자신의 마음을 표현하지 않으면 평생을 후회하게 될 거예요. 맞죠?

데이비드 : 그래요. 큰누나도 그렇지만 부모님의 경우는 더 그렇지요. 부모님의 사랑은 보답을 바라지 않는 사랑이니까요.

음악이 언제 멈췄는지 모르겠다. 가슴 시린 찌릿함이 내 마음을 파고들었다. 이마에 세월의 흔적을 새긴 남자가 컴퓨터 자판에 눈물을 떨어뜨리는 장면을, 눈앞에서 생생하게 보는 듯했다. 나는 갑자기 몸을 돌려 수화기를 들었다. 일주일 동안 엄마의 목소리를 듣지 못했던 것이다.

— 쥐쯔

인생은 사람들이 서로서로 관심을 갖고 사랑하는 과정입니다.
다른 사람이 '추측'으로 당신의 사랑을 눈치 채게 하는 것은
스무 고개만큼 즐거운 일이 아닐 수도 있습니다.
지금 바로 말하세요. 망설이지 말고요.
"사랑해."
이 세 음절의 단어를 입 밖으로 내는 것을 두려워하지 마세요.
각박한 세상이 씌워주었던 철가면을 잠시만이라도 벗어 보세요.

혼자 떠나보기

동물의 세계에서 이리는 총명한 동물이다. 사냥꾼이 개를 몰고 나가면, 쫓기는 쪽은 항상 이리다. 하지만 개와 이리가 외나무 다리에서 만나면, 확실히 개가 진다.

개와 이리는 사촌간이다. 체형도 우열을 가리기 힘들다. 그런데 왜 항상 개가 이리에게 지는 걸까?

그것은 개가 오랫동안 사육 받았기 때문이다. 개는 사람의 보살핌을 받아 고독을 모른다. 한마디로 먹고살기 위해 고독하게 헤맨 적이 없었다. 인간들과 함께 따스한 곳에서 살아오는 동안 뇌 용량이 이리보다 훨씬 작아진 것이다.

이에 비해 야생에서 자란 이리는 고독한 동물이다. 생존을 위해 대뇌를 단련시켰다. 그 결과, 창조적일 뿐 아니라 나름대로 독특한 생존의 지혜를 지니게 되었다.

최근에 혼자만의 시간을 누려본 기억이 있는가? 혼자서 여행을 가본

스스로 고독한 여행자가 되어보자.

한밤중, 덜컹거리며 달리는 기차에 앉아

창밖으로 스쳐 지나가는 불빛을 바라보자.

고독은 생각을 풍성하게 키우고,

그 차원을 높여준다.

적이 있는가.

스스로 고독한 여행자가 되어보자. 한밤중, 덜컹거리며 달리는 기차에 앉아 창밖으로 스쳐 지나가는 불빛을 바라보자. 고독은 생각을 풍성하게 키우고, 그 차원을 높여준다.

많은 생각이 부담스러운가? 생각이 많은 것은 좋은 일이다. 그것을 조용히 음미할 때 우리의 영혼은 성장한다.

우리는 다른 이들과 함께 있을 때 맡겨진 배역을 충실하게 연기한다. 늘 정해진 각본대로 따라하는 훈련이 자신의 진정한 모습을 잃어버리게 만든다. 당연히 스스로를 솔직하게 대면하지 못하는 사람이 생긴다.

혼자인 사람은 가장 자유로운 사람이다. 그러나 사람들은 자신의 배역에 익숙해져 있는 터라 이런 자유를 마주하게 되면 오히려 충격에 빠진다. 그래서 상당수의 사람들이 '혼자'라는 사실을 참을 수 없어 한다. 혼자는 곧 외로움이요, 공허라고 단정 짓는다.

하지만 사람은 모두 자신의 길을 당당히 걸어가야 한다.

우리는 이 세상에 올 때 혼자였다. 갈 때도 동반자가 있을 리 없다. 사람으로 사는 것은 필경 외로운 일일 것이다.

고독을 즐기다가 새로운 인생을 만난 사람도 있다.

한 젊은이가 낯선 곳으로 혼자만의 여행을 가기로 했다. 그는 배낭을 꾸렸다. 약간의 돈을 가지고 아프리카로 향했다. 그리고 이름 모를 작은 섬을 찾았다. 그곳에는 대도시의 북적거림도, 소란도, 먹고살겠다고 서로를 짓밟는 아비규환도 없었다.

마음이 트이고 기분이 상쾌해졌다. 한동안 혼자만의 생활을 만끽했다. 그는 섬을 떠나기 전에 자신을 위한 기념품을 사고 싶었다. 그래서 10달러를 주고 봉지 커피를 샀다.

다음 목적지인 유럽에 도착해서 그는 뜻밖의 일을 당했다. 갖고 있던 돈을 모두 도둑맞은 것이다. 그에게 남은 것이라고는 커피 한 봉지뿐이었다.

그런데 기적이 일어났다. 그가 아프리카에서 가져온 커피는 유럽인들이 처음 맛보는 커피였다. 거짓말처럼 거액에 팔렸다. 그 돈으로 유럽 전역을 여행하고 자기 나라로 돌아간 그는 사업을 하기로 결심했다.

고독을 즐기려고 아프리카 오지를 찾았던 젊은이는 지금 세계에서 가장 유명한 커피 회사의 사장이 되어 있다.

우리는 복잡하게 얽혀 있는 세상에서 부대끼며 살고 있습니다.
혼자만의 여행을 떠나 보는 것은 어떨지요.
위대한 영혼은 고독한 시기를 거쳐야 비로소 발견됩니다.
우리 마음속에는 위대한 영혼이 숨어 있습니다.

남을 돕는 즐거움 찾기

그는 차를 몰아 집으로 가고 있었다.

'일자리 구하기가 이렇게 어렵다니….'

겨울의 문턱을 넘어서자 한파가 밀려와 온 도시를 꽁꽁 얼려버렸다. 거리에 인적까지 끊겨 적막함이 더했다. 그의 친구들은 대도시에 나가 꿈을 이루겠다는 야심을 품고 고향을 등졌다.

하지만 그는 떠나지 않았다. 이 조그만 도시는 그가 나서 자란 곳이고, 세상을 떠난 부모님이 잠들어 계신 곳이다. 길거리 풀 한 포기, 나무 한 그루조차 한눈에 꿰고 있었다.

어둠이 내리면서 눈꽃이 날리기 시작했다. 그는 낡은 자동차의 가속 페달을 밟아 길을 재촉했다.

얼핏 길 모퉁이에 자동차 한 대가 서 있는 것이 보였다. 고장이 난 모양이었다.

최신형 고급 승용차 안에서 한 노부인이 안타까운 표정을 짓고 있었다. 누군가 도와줄 사람이 필요한 것 같았다. 그는 노부인의 승용차 앞에 차를 세우고 얼굴에 미소를 지으며 다가갔다.

노부인은 잔뜩 겁을 먹은 채 지쳐 있었다. 한 시간이 넘도록 그곳에 서 있었지만 아무도 도와주러 오지 않았기 때문이다.

'설마 나를 해치려는 건 아니겠지?'

초라한 행색의 남자가 눈에 들어왔다. 노부인은 안심할 수가 없었으므로 불안한 마음을 감추지 못하고 차 밖으로 나왔다. 낌새가 이상하면 뛰어서라도 도망가야겠다고 결심했다. 하지만 그 남자는 사람 좋은 미소를 띠며 이렇게 말했다.

"아주머니, 제가 도와드리죠. 추운데 차 안에 들어가 계세요. 바람이 찹니다. 저는 조지라고 합니다."

자동차 타이어에 펑크가 나 있었다. 그는 차 밑으로 기어 들어가 자키(차를 들어 올리는 장비)를 단단히 고정시켰다. 차 밑으로 몇 번을 들락날락하자 옷이 더러워졌으며, 실수로 손까지 다치고 말았다.

하지만 그는 조금도 개의치 않고 트렁크에서 보조 타이어를 꺼내 갈아 끼웠다. 드디어 마지막 나사를 채우고 공구를 정리했다.

노부인은 그제야 안심을 했다. 차창을 내리고 "운전사도 없이 급하게 길을 나서면서 자동차를 미리 살펴보지 못해 이런 일이 생겼다"고 말했다. 그리고 조지에게 진심으로 감사의 말을 전했다.

그는 씩 웃으며 노부인의 차 트렁크에 공구를 넣었다.

노부인은 사례를 하겠다고 말했다. 정말로 고마웠다. 생명의 은인이나 다름없었다. 이토록 적막한 곳에서 강도라도 만났다면….

"얼마나 드리면 좋을까요? 말씀만 하세요. 정말입니다."

그는 손을 내저으며 대답했다.

"저는 도움이 필요한 분을 도와드렸을 뿐이에요. 돈을 받으려고 한 일이 아닙니다. 정말로 제게 답례를 하고 싶으시면요, 나중에 곤경에 처한 사람을 만났을 때 그냥 지나치지 말고 도와주세요. 그것으로 충분합니다."

완강하게 수고비를 거절하는 그에게 노부인은 꼭 그러겠다고 약속했다. 그는 노부인이 차를 몰고 출발하는 것을 지켜봤다. 그 사이 날씨가 더 추워졌다. 살을 에는 듯한 추위가 그의 옷깃을 파고들었다. 하지만 그는 추위를 느끼지 못했다. 서둘러 차를 몰아 집으로 돌아가는 길이 무척 즐거웠다.

조지와 헤어진 노부인은 계속 차를 몰아 한참을 갔다. 작은 카페가 눈에 들어왔다. 그녀는 카페에 들어가 잠시 쉬며 허기를 채우기로 했다. 차에서 내리자 기다렸다는 듯 눈발이 달려들었다.

문을 열고 들어선 카페는 허름했다. 여종업원이 다가와 수건을 건넸다. 눈에 젖은 머리를 말리라는 뜻이었다. 노부인은 따뜻한 배려에 미소를 지었다.

그 여종업원은 만삭의 임산부였다. 몸이 무거울 텐데 힘든 기색 하나 없이 노부인이 주문한 메뉴를 준비하러 재빠르게 움직였다. 그녀가 만들어준 음식은 정말 맛있었다.

노부인은 식사를 마치고 나서 백달러짜리 지폐를 건넸다. 그러나 시골의 작은 카페에 그런 큰 돈을 거슬러줄 돈이 있을 리 없었다. 종업원이 급하게 거스름돈을 마련하러 간 사이, 노부인은 슬며시 문을 나섰다. 만삭의 여종업원이 겨우 거스름돈을 마련해 돌아와보니 노부인의 모습은 보이지 않았다. 테이블 위에 메모지가 놓여 있었다.

"거스름돈은 소중한 일에 사용하세요. 출산하는 데는 돈이 많이 필요할 겁니다. 저한테 고마워할 필요는 없어요. 저도 오늘 어떤 고마운 분에게 도움을 받았답니다. 지금 제가 당신에게 한 것처럼 말이에요."

여종업원은 집으로 돌아와 침대에 누워 쉬다가 그 노부인의 메모를 다시 떠올렸다.

그녀와 남편에게 돈이 필요하다는 것을 어떻게 알았을까? 그녀는 다음달 출산 예정이라서 남편이 고민하고 있다는 사실을 알고 있었다.

남편이 곁에 눕자, 그녀는 키스를 하고 부드러운 목소리로 말했다.

"다 잘될 거예요. 사랑해요, 조지!"

남을 돕는다는 것은 어떤 보답도 바라지 않고,
그저 베푸는 것이어야 합니다. 남에게 도움을 주면서
스스로도 즐거울 수 있는 것은, 삶이 우리에게 주는 보답입니다.

혼자 힘으로 뭔가를 팔아보기

한 젊은이가 취업을 하려고 낯선 지역을 찾아갔다. 어떤 회사의 세일즈 맨으로 입사를 지원했지만 학력 미달이라는 이유로 그만 낙방하고 말 았다. 그는 포기하지 않고 담당자를 찾아가 자신이 갖고 있는 능력을 차근차근 설명했다. 한참 후 담당자가 고개를 끄덕이며 말했다.

"좀 기다려봐요. 다른 사람들의 면접이 전부 끝난 다음에 다시 이야 기합시다."

그는 다시 희망을 가지고 의자에 앉아 기다렸다. 달리 갈 곳도 없었다.

그러나 배가 너무 고파서 마음 편히 기다릴 수가 없었다. 오전 10시 가 되어가는데 아무것도 못 먹었던 것이다. 면접 행렬은 좀처럼 줄지 않았다. 한 사람씩 서류를 작성하고, 면접실로 불려 들어가는 것이 보 였다.

기다리는 사람이 70~80명은 되어 면접은 오후 5시는 되어야 끝날 것 같았다. 그렇다고 입사 면접을 보러 온 처지에 구내 식당에 가서 밥

129

을 달라고 할 용기는 나지 않았다.

회사는 신개발 지역에 있어서 근처에 식당이나 편의점이 전혀 없었다. 밥을 먹으려면 고속도로로 나가 비교적 가까이 있는 도시까지 다녀와야 했다.

그는 겨우 밥 한 끼 먹으려고 그곳까지 다녀오기는 싫었으므로 배고픔을 달래며 면접 차례를 기다리는 사람들을 지켜봤다.

그들도 배가 고파보였다. 많은 사람이 힘없이 벽에 기대어 서 있었다. 이 회사의 면접을 위해 먼 곳에서 아침을 거르고 나온 모양이었고, 자칫 잘못해 면접 시간을 놓칠까봐 자리를 뜨지 못했다.

누군가가 "도시락을 사다주면 수고비를 줄 텐데" 하면서 한숨을 쉬었다. 그만큼 배가 고팠던 것이다. 이 말을 들은 그는 더 이상 배고픔을 참고 싶지 않아 사람들 앞에 나서서 말했다.

"제가 도시락을 사다 드리죠."

사람들이 기뻐하며 지갑에서 돈을 꺼내 그에게 주었다. 몇몇은 수고비를 붙여 건네주었다. 처음에는 한사코 사양했지만, 그럴수록 사람들이 더욱 고집스럽게 들이밀었다.

그는 20명의 주문을 받아 출발했다. 가까운 도시에 도착한 그는 패스트푸드를 파는 가게를 찾아가 지배인에게 "단체 주문이니까 20퍼센트를 깎아줄 수 있느냐"고 물었다. 그러자 지배인은 아주 흔쾌히 그렇게 해주겠다고 대답했다.

게다가 일단 음식값의 절반만 지불하고, 나머지는 오후 늦게 내는 것으로 협상했다. 이런 조건으로 50개의 도시락을 사서 택시에 싣고 회사로 돌아오자, 사람들이 그를 개선장군처럼 맞이해주었다.

20개는 부탁한 사람들에게 나눠주었고 나머지 30개는 신청하지 않은 사람들에게 팔기 시작했다. 그가 사온 값보다 30퍼센트 비싼 가격을 제시했는데도 순식간에 모두 팔렸다. 도시락을 신청하지 않은 사람들이 몹시 후회하고 있었던 것이다.

그는 더 많은 도시락을 사오지 못한 점을 후회했다. 도시락을 판 것까지는 좋은데, 그 자신이 먹을 것조차 남아 있지 않았다. 하지만 상당한 돈이 수중에 떨어지자, 그는 너무 기쁜 나머지 이 회사에 입사하려고 면접을 기다리고 있었다는 사실은 까맣게 잊고 엉뚱한 생각을 했다.

'우와! 꽤 짭짤한걸. 차라리 이 기회에 신개발 지구를 돌아다니며 도시락 장사를 해볼까?'

그가 도시락을 사러 다시 출발하려고 할 때 누군가가 그의 이름을 불렀다.

뒤돌아보니 채용 담당자였다. 그가 도시락을 파는 모습을 본 듯, 엄지를 치켜들며 말했다.

"젊은이, 대단하네! 아이디어가 뛰어나군. 아침에 말한 게 허풍은 아니었어. 관례를 깨고 자네를 우리 회사 영업사원으로 채용하기로 결정했네."

그는 잠깐 사이에 자신의 운명이 바뀌었다는 사실을 인식하지 못하고 당황한 목소리로 말했다.

"우선 밥부터 먹고 난 뒤에 이야기해요."

담당자는 그의 팔을 잡아끌며 말했다.

"저기 구내 식당에 가서 같이 밥을 먹지 그래. 내가 자네를 뽑기로 했
으니까 이제 우리 회사 사원이 된 거나 마찬가지라고."

그는 그제야 자신이 성공한 세일즈맨으로서의 첫발을 내딛었다는 사
실을 깨달았다.

하늘 아래 모든 사람에게는
'세일즈맨'과 '비(非)세일즈맨' 구분이 없습니다.
다만 '우수한 세일즈맨'과
'우수하지 못한 세일즈맨'이 있을 뿐입니다.

일기와 자서전 쓰기

그날 저녁따라 시간이 무척 더디게 흐르는 것 같았고, 손에 든 책도 너무 지루해 하품이 나올 지경이었다. 아내도 지겨운 듯 한창 하던 뜨개질을 멈추었다. 그러고는 서재 앞으로 걸어가 아래 칸에 꽂힌 허름한 노트들을 꺼내 읽기 시작했다.

"5년 전 오늘, 우리가 뭘 하고 있었는지 궁금하지 않아요?"

아내는 손에 든 노트를 넘기며 살풋 미소를 머금었다.

"휴가를 보내고 있었어요."

"그랬던가? 난 기억에 없는데…."

"그날은 날씨가 참 좋았어요."

아내는 흔들의자에 앉아 눈을 지그시 감으며 그날의 정경을 회상했다. 그도 어렴풋이 기억을 떠올리는 데 성공했다.

5년 전, 그들 부부는 바다가 내려다보이는 항구의 긴 의자에 앉아 있었다.

"이제 열한 살 된 딸의 생일 파티에

여섯 명의 꼬마 손님이 찾아왔다.

모두 여자애들이다."

아내가 나지막한 소리로 천천히 글을 읽어 내려갔다.

이제 중년에 접어든 딸도 늘 즐겁고 호기심이

많았던, 부모에게 기쁨을 주었던 열한 살

시절을 기억하고 있는지…

해안에 정박한 고기잡이배가 파도를 따라 출렁거렸고, 갈매기가 하늘을 선회하더니 갑자기 수면을 향해 내려앉았다. 파란 하늘에는 흰구름이 두둥실 떠다니고 있었다.

아내는 다음 페이지를 넘겼다.

"둘째 날은 배를 타고 섬 주변을 구경했네요. 기억나세요?"

아내의 일기는 아름다웠던 휴가의 하루하루를 다시 한 번 머릿속에 떠올려주었다. 이들 부부는 3, 4개월에 한 번씩 일기를 꺼내 보면서 잊었던 지난날을 추억하곤 했다.

아내는 다른 노트를 꺼내들었다. 42년의 결혼 생활이 거기에 모두 담겨 있었다.

"27년 전에… 첫째 애가 영어 점수를 형편없이 받아왔어요. 도무지 숙제도 안 하고 노는 일에만 정신이 팔려 있었죠."

세월은 흘렀고 많은 것이 변했다. 맏아들은 이제 두 아이의 아버지가 되었다. 고등학교 선생님이 되었고, 석사 학위도 받았다. 제대로 잘 자라줄지 부부가 날마다 걱정했던 바로 그 골칫거리 개구쟁이 아들이 말이다.

한동안 종이를 한장한장 넘기는 소리가 거실을 가득 채웠다.

"이제 열한 살 된 딸의 생일 파티에 여섯 명의 꼬마 손님이 찾아왔다. 모두 여자애들이다."

아내가 나지막한 소리로 천천히 글을 읽어 내려갔다.

"꼬마 숙녀들은 뭐가 저리도 즐거운 것일까? 웃고 소리 지르다가도 소곤대는 것이 비밀 이야기라도 하는 것일까?"

지금 딸은 결혼 후 친정 근처에 살며 세 자녀를 기르고 있다.

이제 중년에 접어든 딸도 늘 즐겁고 호기심이 많았던, 부모에게 기쁨을 주었던 열한 살 시절을 기억하고 있는지….

기억은 시간이 지남에 따라 가물가물해지기 마련입니다.
일기나 자서전을 쓰면서 추억을 기록하는 것은
소중한 것들을 영원히 잊지 않으려는 가장 아름다운 노력입니다.

돈에 대해 진지하게 생각하기

"인생에서 가장 쓸데없는 일이 돈 모으는 일이란다. 평생 돈이나 모으면서 인생을 허비한다면 정말 슬프지 않겠니? 세상에는 돈보다 소중한 것이 무척 많은데 말이야."

그가 어렸을 때, 어머니는 이렇게 말씀하셨다.

그의 집은 아주 부자였다. 아버지가 얼마나 많은 재산을 가지고 있는지 아는 사람이 없을 정도였다.

그런데 아버지가 갑자기 돌아가신 후 낯선 사람들이 몰려와 세간을 실어 날랐다. 그는 어머니와 함께 할머니 댁으로 거처를 옮겨 생활해야 했다.

어떤 사람들은 할머니 댁까지 쳐들어와 행패를 부렸다. 그는 할머니가 그런 사람들에게 돈다발을 건네주는 것을 보았다. 마침내 할머니도 작은 집으로 이사를 했다.

이때부터 어머니가 하루 종일 보이지 않았다. 밤이 이슥해질 무렵에야 피곤한 모습으로 돌아와 잠든 그의 머리를 쓰다듬어주곤 했다.

어머니가 시장에서 허드렛일을 한다는 것은 나중에 알게 되었다.

세월이 흘렀고, 그는 일류 대학에 진학을 했다. 학비가 많이 필요했다. 어머니는 꼬깃꼬깃한 지폐들을 하나씩 펴서 그에게 주었다.

"너는 돈 걱정하지 마라. 필요한 게 있으면 언제든지 이야기하렴."

그는 학교를 졸업하고 취직을 했다. 단정한 용모에 멋지게 차려입은 그를 사람들은 부잣집 아들이라고 생각했다.

그는 사회생활을 하면서 아름다운 여성을 만나 결혼했다. 어머니는 여전히 시장에 나가 일을 했다. 아내는 시어머니의 그런 모습을 창피하게 생각했다.

"어머니, 이제 시장 일 그만두세요. 저 사람이 시장에 가면 얼굴을 못 들겠다고 하네요. 저희 체면 좀 생각해주세요."

"그래, 알겠다."

어머니는 며칠 후부터 다른 시장에 나가 일 하기 시작했다.

그와 아내는 멋진 신세대 부부였다. 화려한 차림으로 외출하는 것을 즐겼다. 사람들의 시선을 받는 것이 즐거웠다. 안정된 직장에 다니고 넉넉한 월급을 받게 된 그는 돈이 별것 아니라고 생각했다. 돈은 쓰라고 있는 것이었다. 어머니의 어릴 적 가르침을 그는 이렇게 해석했다.

세월이 흘렀다. 아이들이 태어나고 자랐다. 그와 아내는 아이들과 함께 여전히 인생을 즐겼다. 그는 승진을 거듭했고, 돈 때문에 걱정할 일은 없었다.

그의 가족이 밖으로 돌아다니며 멋들어지게 사는 동안, 어머니가 집

안일을 도맡았다. 여전히 시장에 나가 일하면서도 힘들다는 말을 하지 않았다.

세월이 흘렀다. 몹시 추운 어느 겨울날, 그는 기쁜 소식과 나쁜 소식을 동시에 들었다.

우선, 기쁜 소식은 그의 첫 아이가 대학에 합격했다는 것이었다. 그것도 자신이 졸업한 대학이었다. 내 아이가 후배가 되다니….

나쁜 소식은 회사의 해고 통보였다. 짐을 챙겨 밖으로 나왔을 때, 그를 맞이한 것은 낮게 가라앉은 회색빛 하늘과 진눈깨비였다.

당장 급한 것은 아이의 학비를 마련하는 일이었다. 부부는 통장을 펼쳐보았다. 예상한 대로였다. 그동안 아낌없이 쓰고 즐겼으니 잔고가 있을 턱이 없었다.

아이 학비도 그렇지만, 앞으로 어떻게 살아가야 할지 막막하기만 했다. 그는 자신이 평생 회사에 다닐 수 있을 거라고 믿지는 않았다.

그렇다고 어떤 대책을 미리 세워야 한다고 생각해본 적도 없었다. 돈을 모으는 것은 인생에서 가장 쓸데없는 짓이라고 믿었다.

다음 날 아침, 식욕을 잃은 그가 멍하니 식탁에 앉아 있었다.

그의 얼굴을 물끄러미 바라보던 어머니가 방으로 들어가더니 무언가를 들고 나와 그의 손에 꼭 쥐어주었다.

통장이었다.

어머니는 따뜻한 밥과 국을 다시 떠주며 천천히 말했다.

"얘야, 미안하구나. 내 어리석은 생각이 너까지 이렇게 만들 줄은 몰랐어. 내 생각이 바뀌었다고 몇 번이나 네게 이야기하고 싶었다만…"

많은 사람들이 돈을 버는 '손쉬운 방법 찾기'에 골몰합니다.
땀과 노력보다는 '기법'에 주의를 기울이죠.
이것은 나무를 심지 않으면서
과일을 기대하는 것과 같은 이치입니다.
나무를 심으려면 먼저 땅부터 파야 합니다.
땅을 판다는 것은 저축에 비유할 만하죠.
오랫동안 저축을 해야 목돈을 마련할 수 있습니다.
삽을 쥐고 기꺼이 땀을 흘려야 합니다.

작은 사랑의 추억 만들기

그녀가 남편에게 반해 결혼을 한 것은 확실했다. 무엇보다 남편은 미남이었다. 게다가 명문대 출신에 좋은 직장을 가지고 있었다. 그녀가 남편과 연애를 하다가 결혼했을 때 친구들은 모두 부러워했다.

그녀는 "내가 변변치 않은 총각 하나 구제해줬지, 뭐" 하고 뽐냈다. 하지만 그녀는 속으로 기뻤다. 주변에 자기보다 멋진 남자를 만난 친구는 없었다. 그녀는 자신이 승리자라고 생각했다.

하지만 결혼 생활이 이어지면서 그녀의 생각은 바뀌었다. 남편은 바보 같았다. 동창들을 만날 때마다 그런 생각이 자주 들었다.

'다른 남편들은 날마다 일찍 들어와서 아이들하고 재미있게 놀아준다는데.'

'남들은 주말이면 이곳저곳 함께 놀러 다닌다는데, 집에서 잠만 자고 있으니.'

'다른 남자들은 아내가 힘들까봐 파출부도 불러준다는데…. 나는 이

게 뭐람.'

'돈도 많이 벌어서 갖고 싶은 것 다 사준다는데, 이 사람은 대체 지금까지 뭘 한 거야. 돈도 못 벌고.'

'그 집 아이 비싼 옷 입은 것 좀 봐. 우리 집 한 달 생활비야.'

'그러고 보니 그 사람에게서 사랑한다는 말을 들어본 게 도대체 언제야?'

그녀는 친구들을 만나고 온 날은 반드시 티를 냈다. 다른 남편들을 조금이라도 닮아보라고 남편을 닦달했다. 하지만 남편은 그녀가 몰아세울 때마다 빙그레 웃기만 했다. 잡지책에 코를 박고는 듣는 듯 마는 듯 딴청을 부렸다.

연애를 할 때는 남편의 그런 무뚝뚝한 모습을 좋아했던 것이 사실이다. 그렇지만 지금은 아니었다. 답답하고 한심해 보였다. 남편은 무능력자의 상징이었다.

그런 남편이 화를 낸 것은 결혼 10주년 기념일이었다.

그녀는 "왜 선물을 주지 않느냐"고 남편을 비난했다. 선물 타령이 남편의 무능력과 무성의에 대한 한탄으로 이어졌다. 한참 듣고만 있던 남편이 말문을 열었다.

"당신, 왜 나랑 결혼했지? 돈 많고, 능력 있고, 시간 많고, 똑똑하고, 건강하고, 시부모도 없는 그런 남자를 만나지 그랬어. 당신이 선택해놓고 왜 이제 와서 그러는 거야?"

남편의 첫 반격에 그녀는 기가 막혔다. 할 말을 찾지 못하다가 꺼이꺼이 통곡을 했다. 남편에게 심한 배신감을 느꼈다. 남편은 그녀를 달

랠 생각은 하지 않고 한마디 덧붙였다.

"제발 부탁이니까 철 좀 들어. 세상에 그런 완벽한 남편이 어디 있어? 그리고 그런 완벽한 사람이 있다 한들, 당신을 선택이나 했겠어?"

그녀는 그 말을 듣고 결심했다.

'다시 태어나면 당신 같은 사람, 만나지도 않을 거야.'

그해 가을, 그녀는 병원에 입원했다. 그리고 암일지도 모른다는 진단을 받았다.

하늘은 더없이 맑고 높았지만 그녀는 하루하루가 암담하기만 했다. 남편은 날마다 병원에 찾아왔지만 그녀를 잘 돌봐주지는 않았다. 남편과 그녀는 여전히 냉전 상태였다.

남편은 의사나 간호사, 문병 온 그녀 친구들을 붙잡고 끊임없이 무슨 이야기를 했다. 10년을 함께 살았지만 말이 그렇게 많은 사람인지 미처 몰랐다. 약이 올랐다. 남편에 대한 원망이 더욱 깊어졌다.

'나는 올해를 넘길 수 있을지 없을지 모르는 판인데, 저 사람은 어쩜 저렇게 아무렇지도 않은 거지? 나 죽으면 기다렸다는 듯이 새 장가라도 갈 태세네!'

그런 생각을 하니 눈물이 왈칵 쏟아졌다.

며칠 후, 의사가 병실로 와서 말했다. 오진이었다고, 정밀 진찰을 해보니 암은 아니라고.

옆에 서 있던 남편이 갑자기 무너졌다.

무릎을 꿇은 그는 의사의 손을 덥석 잡았다. 그러고는 "감사합니다"를 연발하면서 눈물을 흘렸다.

그녀는 침대에서 일어나며 생각했다.

'만약 다음 세상이 있다면, 꼭 남편하고 다시 결혼해야지.'

그녀는 그해, 잊을 수 없는 결혼 10주년 선물을 받았다.

그녀는 평생 그것을 잊지 않겠다고 결심했다. 그 선물은 눈에는 보이지 않는 남편의 마음, 그것이었다.

당신은 어떤 사람인가요.
사랑하는 사람에게서
자신의 존재를 끊임없이 확인하고 싶은가요.
사랑하는 사람이 당신을 위해
뭔가를 계속 해주기를 바라는지요.
당신이 사랑하는 그 사람은 무엇을 바랄 것 같은지요.

날마다 15분씩 책 읽기

책은 가치를 매길 수 없는 보물창고다. 우리를 계발시키고, 고무하고, 유익한 정보를 제공해준다. 사는 동안 뚜렷한 목표를 세워 계속 전진하도록 이끌어주기도 한다.

중급 수준의 독자라면, 한 페이지를 읽는 데 1분 정도 걸릴 것이다. 소설과 전기, 여행서, 흥미 등과 관련된 책이라면 한 페이지를 보는 데 1분이면 충분하다. 책은 자꾸 볼수록, 읽고 이해하는 시간이 단축된다.

소설을 예로 들어보자. 1분에 두 페이지를 읽을 수 있다면 15분 동안에 30페이지를 보는 셈이며, 한 달에 9백 페이지를 독파하게 된다. 웬만한 책 3권 분량이다.

날마다 15분씩 1년이면, 얼마나 될까?

놀랍게도 36권이다.

아무것도 아닌 15분이 날마다 쌓이면 36권의 책을 읽을 수 있는 시간이 되는 셈이다. 시간이 없어 책을 못 읽는다고?

1년간 36권의 책을 읽는다는 것은 대단한 일이다. 공공 도서관에서 열심히 책을 빌리는 사람들의 독서량보다 3배나 많은 것이다. 그런데 이런 독서량을 실현하는 것은 결코 어렵지 않다.

보편적으로 적용할 수 있는 공식은 없다. 날마다 자신의 15분만 챙기면 된다. 조금 더 욕심을 부리자면 15분 외의 짬을 활용하는 것도 방법이다. 짬을 내는 것은 초과 수확이 된다. 초과 독서 시간을 찾을 기회는 전혀 예상치 못한 경우에 많이 발생한다.

우리에게 필요한 것은 결국 결단이다. 책을 읽겠다는 결심만 한다면, 아무리 바쁘더라도 분명 15분을 책 읽는 시간으로 챙겨놓을 수 있다.

또 하나, 손이 닿는 곳에 반드시 책이 있어야 한다. 일단 책을 읽기 시작하면, 15분 가운데 단 1분도 낭비해서는 안 된다.

아침에 오늘 읽으려는 책을 준비한 다음, 가방에 넣는다. 침대 머리맡에도 한 권 두고, 화장실과 식탁 옆에도 각각 한 권씩 둔다. 책상 위에는 늘 책이 있어야 한다.

모든 곳에 책을 두고 규칙적으로 읽도록 해야 한다.

고민과 걱정이 있을 때, 또는 의지할 곳 없어
외롭다고 느낄 때, 아니면 억울한 일을 당하거나 낙담했을 때,
원망하는 마음이 생겼을 때,
당신의 마음 상태와 관련된 책을 꺼내어 읽어 보세요.
영혼을 적시는 마음의 양식은 많으면 많을수록 좋습니다.

정성이 담긴 선물하기

그는 아버지가 무엇을 좋아하는지 몰랐다. 아버지는 항상 말이 없는 근엄한 분이었다. 물론 어버이날마다 아버지께 선물을 드렸다. 재작년에는 셔츠를, 작년에는 면도기를 선물했다. 하지만 아버지가 선물을 받고 나서 그것을 사용하는 것을 본 적이 한 번도 없었다.

'내가 드린 선물을 좋아하지 않는 거야.'

이렇게 결론을 내린 그는 이번 어버이날에는 신경을 쓰지 않기로 마음먹었다.

어버이날이 며칠 남지 않은 어느 날 저녁이었다. 유치원에 다니는 아들이 다가와 선물을 건네주었다. 우스꽝스러운 그림의 카드였다. 글씨를 배운 지 얼마 안 된 아이가 삐뚤삐뚤 지렁이를 그리듯 글을 썼다.

"아빠 힘내세요. 사랑해요."

처음에는 장난스럽게 그 카드를 받아들었다. 그런데 묘하게도 그것을 바라볼수록 기분이 좋아졌다. 가슴 한구석에서 무언가 찌릿찌릿 움직이는 것이 느껴졌다.

"애야, 정말 고맙다. 네 카드를 정성껏 보관하마. 평생 간직할게. 약속한다."

아들을 꼭 껴안고 볼에 뽀뽀를 해주었을 때 그의 뇌리를 스치는 것이 있었다. 그는 비로소 무언가를 깨달은 듯, 아버지 방으로 급히 뛰어 들어갔다.

'아버지 방에 들어와본 적이 언제였더라.'

아버지 옷장 서랍을 뒤지기 시작했다. 맨 아래 가장 큰 서랍에서 그는 '그것들'을 발견했다.

거기에는 그가 해마다 아버지께 드렸던 선물들이 고스란히 들어 있었다. 셔츠와 면도기는 물론, 남성용 화장품까지 마치 바로 조금 전에 선물받은 물건들 같았다. 아버지는 그것들이 아까워 감히 포장을 뜯지도 못했던 것이다.

선물을 모두 꺼내고 나자 맨 아래 누런 서류 봉투가 보였다. 봉투는 오랜 세월이 지났음을 증명이라도 하듯 낡아 있었다. 겉봉에는 눈에 익은 아버지의 필체로 그의 이름이 씌어 있었다. 그 밑에 멀리 시집간 여동생의 이름이 적힌 또 다른 봉투가 있었다.

그는 자신의 이름이 씌어 있는 봉투를 열어 그 내용물들을 바닥에 쏟아보았다.

봉투 안에는 그의 지난날이 고스란히 담겨 있었다. 그가 처음으로 백점을 받았던 시험지, 성적표, 처음 받은 상장 같은 것들이 나왔다.

마침내 '그것'을 발견하고 조심스레 주워드는 그의 손길이 가볍게

"아빠 힘내세요. 사랑해요."

가슴 한구석에서 무언가

찌릿찌릿 움직이는 것이 느껴졌다.

떨렸다. 도화지를 잘라 만든 카드였다. 31년 전, 그가 막 글을 익힐 무렵 아버지에게 선물로 드린 것이었다. 카드에는 지렁이가 기어가는 모양으로 이렇게 씌어 있었다.

"아빠, 건강하세요."

어버이날이 얼마 남지 않은 이날 저녁, 그는 부모 몰래 집을 나서 자신의 어리석음을 후회하며 울기 시작했다.

선물의 진정한 의미는 이렇습니다.
선물을 주는 사람이 자신의 마음을 담아 상대방에게 선사하고,
그 다음에는 완전히 잊어버리는 것입니다.
받는 사람은 선물의 가치를 느끼지 못할 수도 있습니다.
그래도 깨끗이 잊으세요. 하지만 어느 날,
선물 속에 담긴 의미를 곱씹어 보는 날이 올 것입니다.
되새긴 감동은 추억과 결합할 때 더욱더 가슴 뭉클해집니다.

나만의 취미 만들기

그녀는 꽃을 사랑한다. 그래서 꽃을 기르는 것도 좋아한다. 그렇지만 아직 꽃에 대한 전문가는 되지 못했다. 왜냐하면 그것을 연구하고 시험해볼 여유가 없었기 때문이다.

그녀는 단지 꽃을 기르는 것이 즐거울 뿐, 꽃송이의 크고 작음이나 모양새, 빛깔 등을 따지지 않는다. 꽃이 피면 그저 기쁠 뿐이다.

여름이 되면 그녀의 작은 정원에는 화초가 가득하다. 하지만 기르기 쉽지 않은 진귀한 화초는 없다. 예쁜 꽃나무의 죽음을 보는 것은, 그녀에게 괴로운 일이다.

그녀가 사는 곳은 꽃을 기르기에 좋은 기후가 아니다. 겨울에는 춥고, 봄에는 황사 바람이 심하게 불었으며, 여름에는 장마가 길다. 가을이 제일 좋긴 하지만 갑자기 서리가 내리는 날도 있다.

그래서 쉽게 자라는 화초들만 키운다. 하지만 화초들이 스스로 자라도록 내버려둔다면 대부분 죽어버릴 것이다. 그러니 날마다 살뜰하게 돌보고, 친구처럼 관심을 기울여야 한다.

그녀는 차츰차츰 요령을 터득했다. 어떤 것은 어두운 곳을 좋아해서 햇볕 아래 두면 안 되고, 물을 많이 주면 안 되는 것도 있다.

이것이 무엇과도 바꿀 수 없는 큰 즐거움이다. 그들과 함께 지내는 방법을 하나씩 찾아내는 것, 게다가 해마다 때가 되면 반가운 인사처럼 꽃을 피우는 모습을 보면 얼마나 재미있는지….

우리의 삶에는 걱정도 있고, 웃음도 있으며, 눈물도 있다. 꽃도 있고, 열매도 있고, 향기도 있고, 색깔도 있다.

누군가에게 좋지 않은 이야기를 들어 마음이 아플 때, 일이 제대로 풀리지 않을 때, 세상살이가 힘겹게 느껴질 때, 그녀는 늘 정원에 나가 화초들을 둘러본다.

나무에 물을 주고, 화분을 옮겨주고… 그러다가 방으로 돌아오면 마음이 개운해진 걸 느낀다. 잠시라도 고된 현실을 잊을 수 있다. 송두리째 망각하는 것이다.

필요한 노동도 하고 지식도 얻는 것, 이것이 바로 꽃을 키우는 즐거움이다. 취미는 인생을 향기롭게 한다.

— 라오서

'몰두'의 다른 표현은 '망각'이라고 할 수 있습니다.
만약 취미가 있다면 망각의 즐거움을 자주 느끼게 될 것입니다.
취미에 전념할 때 복잡한 세상사를 잠시라도 잊을 수 있습니다.
그 어떤 활동도 취미만큼
우리를 걱정으로부터 자유롭게 해주는 것은 없습니다.

용서하고, 용서받기

제2차 세계대전 중에 일어난 일이다. 한 부대가 숲 속에서 적군을 만났다. 격전이 벌어졌다. 그 과정에서 두 명의 병사가 낙오됐다. 두 병사는 부대를 다시 찾아가기 위해 산을 넘고 물을 건너면서 갖은 고생을 했다. 공교롭게도 같은 마을 출신이었던 그들은 서로 격려하고 위로했다.

10여 일이 지났지만 여전히 부대를 찾을 수 없었다. 걷는 것보다 참기 힘든 것은 배고픔이었다. 비상 식량은 떨어진 지 오래였다.

며칠을 나무 뿌리로 연명하다가 사슴 한 마리를 발견했다. 그 사슴 고기 덕분에 며칠은 견딜 수 있었다. 하지만 그 이후로는 어떤 동물도 발견할 수 없었다. 인간의 전쟁이 짐승들에게도 처참한 피해를 입힌 모양이었다.

사슴 고기는 이제 조금밖에 남지 않았다. 젊은 병사가 고기를 배낭에 넣고 짊어졌다.

그렇게 길을 가다가 갑자기 적군과 마주쳤다. 두 사람은 기지를 발휘

해 교묘하게 적군을 따돌리는 데 성공했다.

'이제는 안전하겠지' 하고 안심하는데 총소리가 울렸다.

앞서 가던 젊은 병사가 총에 맞았다. 다행히 총알이 어깨에 스친 가벼운 부상이었다.

뒤에 있던 병사가 황급히 뛰어왔다. 그는 두려움에 떨며 횡설수설하면서 젊은 병사를 안고 눈물을 흘렸다. 그러고는 자신의 옷을 찢어 상처를 싸매주었다.

밤이 찾아왔다. 부상 당하지 않은 병사가 어머니를 부르며 구슬프게 울었다. 총을 맞은 젊은 병사는 망연히 먼 곳만 바라보고 있었다. 그들은 자신이 이 지독한 상황을 견뎌내지 못할 것이라며 낙담했다. 배고픔이 더욱 심해졌다. 그러나 이들 중 누구도 사슴 고기를 건드리지 않았다.

다음 날, 그들은 다행히 아군에게 발견되어 무사히 귀환할 수 있었다.

50년이 지났다. 총을 맞았던 젊은 병사는 이렇게 회고했다.

"나는 누가 나에게 총을 쐈는지 알고 있어요. 함께 가던 전우였습니다. 그가 나를 안았을 때, 그의 총구에서 화약 냄새가 났거든요. 그 당시에 나는 도저히 이해할 수 없었습니다. 그가 왜 나에게 총을 쐈는지 아세요?"

앞서 가던 젊은 병사를 쏜 것은 뒤에서 걷던 또 다른 병사였다. 얼마 남지 않은 사슴 고기를 혼자 차지하고 싶었던 것이다.

"그는 병든 어머니를 위해 꼭 살아남고 싶어했어요. 그렇지만 어머니는 그가 돌아올 때까지 기다리지 못했죠. 고향에 돌아와서 그와 함께 묘지를 찾아가 기도했습니다. 그 사람이 내 앞에 무릎을 꿇고 용서를 빌더군요. 나는 더 이상 말하지 못하게 했습니다. 저는 그때 진심으로 용서했어요. 우리는 그 후로 이 세상에서 둘도 없는 친구가 되었죠. 50년 동안 지내면서 한 번도 그 일을 언급하지 않았습니다. 얼마 전에 그가 죽었고 이제 내 생명도 얼마 남지 않았어요. 그래서 이렇게 털어 놓는 겁니다."

—추이허퉁

용서는 고통스러운 일입니다.
하지만 뼈를 부러뜨려 다치게 하지는 않습니다.
용서는 상처를 감당하는 것이고, 나아가 상처를 치료하는 것입니다.
용서를 거절하면 더욱 많은 상처가 생길 뿐입니다.
용서하고, 용서를 구하세요.

어려운 사람들을 위해 기부하기

캐나다 유학 시절의 일이다. 어느 날 오타와 거리를 지나가는데, 두 남자아이가 다가왔다. 그들은 열 살쯤 되어 보였다. 깔끔하게 차려입고 머리에는 정성스럽게 만든 종이 모자를 쓰고 있었다. 모자에는 '소아마비 친구를 위한 모금 운동'이라고 씌어 있었다.

작은 아이가 무턱대고 내 구두를 닦으려고 하자, 옆의 큰 아이가 막으며 예의 바르게 질문했다.

"어느 나라 분이세요? 오타와가 좋으신가요? 다른 나라에도 소아마비란 병이 있나요? 누가 그 사람들한테 병원비를 주지요?"

쉴 새 없이 이어지는 질문에 한순간 당황할 수밖에 없었다. 나는 어느새 사람들의 시선을 한 몸에 받으며 구두를 닦는 외국인이 되어 있었다.

한번 생각해보라. 백주대로에서 두 아이가 쪼그려 앉아 구두를 닦는 모습을. 또 그 아이들에게 구두를 맡기고 앉아 있는 어느 외국인의 모습을.

잠시 후, 구두를 다 닦은 아이들이 환하게 웃으며 내 얼굴을 바라보

나는 5달러를 그 아이의 가슴에 달린

모금 주머니에 넣었다.

아이들은 마치 누구의 목소리가 더 큰지

경쟁이라도 하는 것처럼 힘차게 외쳤다.

"고맙습니다. 감사합니다!"

았다. 나도 빙그레 웃으며 구두를 닦은 값으로 얼마를 주어야 할지 물었다.

큰 아이가 대답했다.

"주시고 싶은 대로 주세요. 1달러만 주셔도 돼요."

나는 5달러를 그 아이의 가슴에 달린 모금 주머니에 넣었다. 아이들은 마치 누구의 목소리가 더 큰지 경쟁이라도 하는 것처럼 힘차게 외쳤다.

"고맙습니다. 감사합니다!"

그러고는 홍백색의 다리 모양이 그려진 종이 배지를 내 옷깃에 달아주었다.

다른 아이들이 이 배지를 보면, 내가 이미 기부를 했다는 걸 알고는 구두를 또 닦아주겠다고 하지 않을 거라는 설명을 덧붙였다.

집으로 돌아가는 길에 나는 가슴에 똑같은 모양의 배지를 달고 있는 사람들과 여기저기서 마주쳤다.

그들은 신호등 앞에도 있었고, 상점 쇼윈도 앞에서 서성거리기도 했다. 식료품 가게에서 나오기도 했으며 버스 정류장 앞에서 강아지와 장난을 치기도 했다.

모두가 아름다운 사람들이었다.

우리가 타인에게 나눠줄 수 있는 가장 신비로운 선물은
마음이지, 결코 지갑이 아닙니다.
가장 아름다운 선물은 우리의 정성입니다.

사랑하는 사람을 위해 요리하기

"나, 결혼해."

3년 전, 겨울은 몹시 추웠다. 수은주마저 얼어터지는 것 아닐까 걱정될 정도로 뼛 속까지 추위가 파고드는 날이 이어졌다.

그런 어느 날, 그가 예고도 하지 않고 불쑥 찾아왔다.

"너한테는 이걸 직접 주고 싶었어."

청첩장이었다. 펼쳐볼 엄두가 나지 않았다. 신부 자리에 그 여자 이름이 적혀 있을 테니까.

"들어올래? 양송이 수프 끓여줄게."

"아냐, 됐어. 바빠서 그냥 갈게."

이내 돌아서서 움츠린 채 걸어가는 그의 어깨가 한 뼘도 안 돼 보였다. 그는 양송이 수프를 무척 좋아했다.

오래전, 그가 얼음장처럼 차가운 방에 웅크리고 있을 때, 그의 몸을 따뜻하게 녹여준 음식이 양송이 수프였다.

그의 홀아버지가 싸늘하게 식은 채 발견된 지 나흘만의 일이었다.

걸어가던 그가 멈칫하더니 뒤를 돌아보았다. 눈이 마주쳤다.

뭔가 말하고 싶었던 것일까. 그의 입술이 달싹거렸다. 하지만 그는 고개를 숙이더니 다시 걸어갔다.

아버지가 거나하게 취한 다음 날이면 그의 얼굴에 어김없이 훈장이 달려 있었다. 퍼런 멍 자국. 그런 아버지였지만 그래도 이별은 슬펐다.

내가 만든 양송이 수프를 호호 불어 먹으며 그가 말했었다.

"아… 맛있다!"

그의 뒷모습이 보이지 않을 때까지 문 앞에 서 있었다. 추위는 아무 것도 아니었다.

그해 겨울, 내 마음은 얼어붙다 못해 마침내 터져버렸다. 나 자신이 죽이고 싶도록 미웠다. 자존심이 대체 뭐란 말인가.

3년 전 그날처럼 매서운 한파가 세상을 덮쳤다. 코트 깃을 여미며 집에 돌아왔을 때, 누군가가 문 앞에 웅크리고 앉아 있는 것이 보였다. 가슴이 철렁 내려앉았다. 그는 오늘도 예고 없이 찾아왔다.

3년 만에 만난 그는 파랗게 질려 있었다. 얼마나 기다린 것일까?

"널 기다렸어."

"날씨가 추워. 어서 들어와."

사람들에게 간간이 그의 소식을 듣곤 했다.

"안쓰럽다"는 사람도 있었고, "그래서 분에 넘치는 신분 상승은 버거운 것"이라고 서슴없이 내뱉는 사람도 있었다.

남의 이야기를 아무렇지도 않게 하기란 쉽다. 하지만 그의 가슴속에 얼마나 큰 피멍이 맺혀 있는지 그들은 관심조차 없을 것이다.

불을 켜자 추레한 한 남자의 모습이 숨김없이 드러났다. 언뜻 그의 아버지 모습이 떠오른다. 술에 절어 퀭한 눈과 툭 튀어나온 광대뼈. 눈물이 찔끔 난다.

'사람을 저 모양으로 만들어놓다니… 나쁜 사람들.'

그는 몸도 제대로 가누지 못한다. 손가락이 얼었는지 어정쩡한 모습으로 떨리고 있다. 우선 담요를 어깨에 걸쳐준다.

"양송이 수프 끓여줄까?"

"양송이가 있어? 한겨울이라서 구하기 어려울 텐데."

"기다려봐."

양송이는 한 번도 떨어진 적이 없었다. 나는 무슨 생각으로 지난 3년 동안 냉장고에 양송이를 준비해놓았던 것일까?

냄비에 물을 받아 불 위에 올려놓고 양송이를 손질한다. 칼이 닿을 때마다 양송이가 얇고 네모난 모양으로 바뀐다. 음식 재료들을 다듬을 때마다 이런 생각을 한다.

'요리는 마술이야.'

어쩌면 그의 불행을 바랐던 것일까? 힘들고 지친 모습으로 내게 돌아오기를? 아니다, 그것은 아니다. 고개를 설레설레 젓는다.

물이 끓는다. 잘게 썬 양송이와 다른 재료들을 넣는다. 한참 끓이자 구수하고 맛있는 냄새가 집 안 가득 퍼지고 김이 모락모락 오른다. 내 입가에 잔잔한 미소가 떠오른다.

그는 꾸벅꾸벅 졸고 있다.

갑자기 그 여자 생각이 난다. 그 여자는 왜 그를 원했을까? 그는 그 여자가 소유하고 싶었던 또 하나의 대상에 불과했던 것일까? 왜 그를 저렇게 비참하게 만들고 버렸을까? 눈물을 훔친다.

수프를 접시에 담아 식탁 위에 놓는다. 달그락거리는 소리에 그가 부스스 눈을 뜬다.

"벌써 다 됐어? 이 겨울에 양송이를 어떻게 구했지?"

전에는 양송이를 어떻게 구했냐고 물은 적이 없었다.

"먹어봐. 맛이 어떨지 모르겠네."

그는 수프를 한 스푼 가득 퍼서 입에 넣는다.

"안 돼!"

이미 늦었다. 그가 인상을 잔뜩 쓴다. 냉수 한 잔을 벌컥벌컥 들이킨 후에야 정신을 차린다.

"네 끼를 굶었거든."

그는 희미하게 웃으며 대수롭지 않다는 듯 말한다.

옛날처럼 호호 불면서 수프를 먹는다.

"아… 언제 먹어도 맛있어."

마치 날마다 양송이 수프를 먹었던 사람처럼 천연덕스러운 표정을 짓는다.

불현듯 3년 전 겨울에 꽁꽁 얼어붙었던 마음이 스르르 녹는 것이 느껴진다. 볼을 타고 눈물이 흐른다.

문득 고개를 들어보니 나를 바라보는 그의 눈에도 물기가 촉촉히 어려 있다.

정성이 담긴 요리는 추억을 만듭니다.
요리에 따뜻한 마음이 담겨 있기 때문입니다.
세월이 흘러도 그 마음은 남습니다.
추억이 담긴 요리는
이 세상 어느 음식보다 맛있고 따뜻합니다.

건강에 투자하기

중국의 한 부자가 죄를 지어 심문을 받았다.

재판관은 자신이 공정한 사람임을 증명하기 위해 세 가지 벌을 제시하고 부자에게 선택하게 했다.

첫 번째는 벌금으로 50냥의 은을 내는 것이었다. 두 번째는 채찍 50대를 맞는 것, 마지막 세 번째는 생마늘 다섯 근을 먹는 것이었다.

부자는 돈을 내는 것도 싫고, 맞는 것도 무서워서 세 번째 벌을 선택했다. 그리고 사람들에게 둘러싸인 채 마늘을 먹기 시작했다.

'마늘을 먹는 게 뭐 어렵다고. 제일 쉬운 벌이지.'

첫 번째 마늘을 먹으며 부자는 이렇게 생각했다. 하지만 마늘을 먹으면 먹을수록 점점 참기 힘들었다. 두 근을 먹자 오장육부가 타오르는 것 같았고 온몸이 부들부들 떨렸다.

마침내 부자는 눈물을 흘리며 소리쳤다.

"마늘은 안 먹을래요. 차라리 50대를 맞겠어요!"

집행관이 부자의 옷을 벗기고 긴 의자에 데려가 앉혔다. 부자는 자기 눈앞에서 병졸들이 채찍에 소금물과 고춧가루를 바르는 것을 보고 사시나무처럼 떨기 시작했다.

드디어 채찍이 등을 휘감자 부자는 팔려가는 돼지처럼 꽥꽥 소리를 지르기 시작했다. 열 번째 채찍을 맞았을 때는 자기도 모르게 오줌을 지렸다. 결국 너무 아파서 참지 못하고 소리쳤다.

"나으리, 저를 제발 불쌍하게 봐주세요. 그만 때리시고 은 50냥을 내게 해주세요."

많은 사람들이 이와 비슷한 선택을 한다. 돈을 아끼려고 자신의 건강을 소홀히 하는 것이다. 하지만 심각한 고통을 당하고 나서가 문제다. 건강에 많은 돈을 쓸 수밖에 없을 때는 이미 너무 늦은 것이다.

오리가 한가로이 물에 떠 있는 이유를 아는가? 오리의 깃털은 물에 젖는 일이 없다. 오리의 꼬리 부분에 작은 기름 주머니가 있는데, 오리는 입에 그곳의 기름을 묻혀 깃털에 문지르는 것이다. 그래서 깃털은 물에 젖지 않는다.

건강을 챙기는 것은 오리가 평소 깃털을
간수하는 것과 유사합니다.
틈이 날 때마다 건강에 힘쓰는 것입니다.
건강을 위한 투자에는 위험이 없습니다.
오로지 보답만이 있을 뿐이죠.
이렇게 좋은 투자가 세상에는 별로 없습니다.

악기 하나 배워보기

아버지는 커다랗고 길쭉한 상자를 들고 나타났다. 그러고는 그와 어머니를 거실로 부른 뒤 상자를 열었다. 상자 속에서 낡은 기타가 나왔다.

"지하실에서 발견했단다."

아버지는 어린아이처럼 환하게 웃으며 말했다.

"네가 기타를 배우기만 한다면 평생 좋은 친구가 될 게다. 자, 너에게 주마."

그는 아버지의 기대와는 달리 기타에 그다지 흥미가 없었으므로 마지못해 기타를 받았다. 그가 줄곧 갖고 싶었던 것은 드럼이나 키보드였다. 그는 하루 종일 라디오를 끼고 살며 록 음악을 들었다. 록 음악에 빠진 그의 머릿속에 고리타분한 통기타가 들어설 자리는 없었다.

그는 녹까지 슨 기타 줄을 보면서 '이런 바보 같은 악기를 연주하면 사람들이 배꼽 빠지게 웃을 거야' 하고 생각했다. 그 후 한동안 기타는 옷장 안에 놓여 있었다.

어느 날 저녁, 아버지가 일주일 후부터 기타 수업을 시작하겠다고 선언했다. 그는 어이가 없어 아무 말도 할 수 없었다.

'저런 바보 같은 악기를 억지로 가르치겠다니…. 나는 록 그룹의 드러머가 되고 싶은데.'

그는 어머니에게 도움을 청하는 눈길을 보냈다. 하지만 어머니는 어쩔 수 없다는 듯한 표정으로 고개를 저었다.

기타는 옆집 음악 선생님에게 배우기로 했다. 수업료는 꽤 비쌌다. 아버지답지 않은 일이었다. 그의 아버지는 아주 현실적이어서 옷과 음식을 사는 데 돈을 쓰는 것 외에는 모두 불필요하다고 생각하는 사람이었다.

옷장 안에 넣어둔 통기타를 꺼내 먼지를 닦으며 어머니가 말했다.

"원래는 네 아버지 것이었단다. 할아버지와 할머니께서 네 아버지에게 사주신 거야. 그렇지만 사는 게 너무 바빠서 아버지는 못 배웠던 것 같아."

그는 아버지의 거친 손이 악기를 다루는 상상을 해봤다. 하지만 어떤 모습일지 머릿속에 잘 그려지지 않았다.

드디어 통기타를 배우기 시작했다. 기타 줄을 튜닝하면서 음을 맞추는데, 모든 것이 서툴러 어렵게만 느껴졌다.

"저 애가 잘 배우던가요?"

수업을 마친 후 아버지가 선생님에게 물었다.

"첫날인데 아주 잘했어요."

선생님이 말했다.

아버지는 무엇인가 간절한 희망을 갖고 있는 것 같았다. 이해할 수 없는 일이었다.

그는 날마다 한 시간씩 집에서도 연습을 하라는 숙제를 받았다. 그렇지만 어떻게든 수업에 빠져야겠다고 결심했다. 낡은 통기타로 한물 간 음악을 연주하고 싶은 생각은 눈곱만큼도 없었다.

하지만 아버지는 조금도 고삐를 늦추지 않았다. 그가 친구 집으로 도망칠 때마다 집요하게 찾아내 집으로 데려와서는 기타 연습을 시켰다.

억지로 하는 연습이었지만 효과가 있었다. 그는 점차 악보를 보며 간단한 곡들을 연주할 수 있게 됐다.

기타 실력이 꽤 늘었다. 이제 연주는 빼놓을 수 없는 하루 일과가 되었다. 아버지는 자주 저녁 식사 후 그에게 몇 소절을 연주해보라고 했다. 안락한 의자에 편안하게 앉아 흐뭇한 미소를 짓는 아버지 앞에서 그는 「아랑후에즈 협주곡」이나 「알람브라 궁전의 추억」 같은 곡을 연주하곤 했다.

마을의 가을 축제가 다가왔다. 그에게 동네 극장 무대에서 독주를 하라는 요청이 들어왔다.

"저는 무대에 서고 싶지 않아요."

그러나 아버지는 단호하게 말했다.

"해야 돼!"

"왜요?"

그는 대들 듯 소리 질렀다.

"아빠가 어렸을 때 기타를 연주하지 못해서요? 왜 제가 이 바보 같은

"언젠가 넌 내게 없었던

기회를 얻게 될 거야.

너는 네 가정을 위해

마음을 울리는 곡을 연주할 수 있을 거다.

그때가 되면 지금 네가 고생하고

노력한 의미를 이해하게 될 거야."

사랑하는 사람들의 마음을 음악으로 위로하는 것,

그것은 세상에서 가장 멋진 일이다.

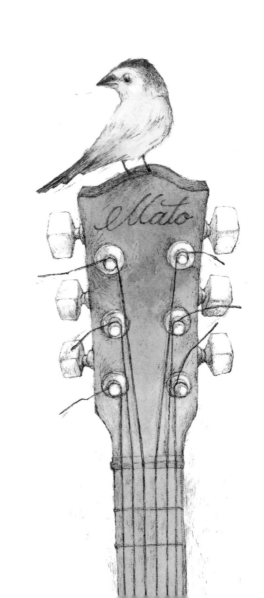

걸 사람들 앞에서 연주해야 돼요? 아빠도 해본 적이 없으면서!"

아버지는 화가 났지만 참는 듯했다. 그러고는 그의 눈을 똑바로 들여다보면서 한마디 한마디 힘을 주어 차근차근 말했다.

"네 연주가 사람들에게 즐거움을 선사할 수 있기 때문이란다. 네가 그들의 영혼을 울릴 수 있기 때문이지. 그런 멋진 일을 네가 포기하도록 놔둘 수는 없다."

아버지는 온화하게 덧붙였다.

"언젠가 넌 내게 없었던 기회를 얻게 될 거야. 너는 네 가정을 위해 마음을 울리는 곡을 연주할 수 있을 거다. 그때가 되면 지금 네가 고생하고 노력한 의미를 이해하게 될 거야."

그는 아무 말도 할 수 없었다. 아버지가 그토록 간절하게 이야기하는 것을 한 번도 본 적이 없었다. 그는 더 이상 부모님이 재촉하지 않아도 기타 연습을 열심히 하게 되었다.

음악회가 열리는 날 저녁, 어머니는 오랜 시간 공들여 화장을 하고 반짝이는 귀고리까지 달아 멋을 냈다. 아버지는 일찍 퇴근해 가장 아끼는 넥타이를 맸다. 별 다른 말은 없었지만 긴장한 기색이 역력했다.

음악회는 다른 마을 사람들까지 몰려드는 바람에 대성황이었다.

드디어 그의 차례가 되었다. 그는 심호흡을 한 번 하고 무대 중앙에 놓인 의자를 향해 걸어가 앉았다. 어두컴컴한 객석 어디쯤에 부모님이 앉아 계신지 알 수 없었지만 따스한 눈빛이 느껴지는 듯했다.

아버지가 한 번도 쳐본 적이 없는, 그에게 물려준 낡은 기타를 연주하기 시작했다. 비발디의 「사계」 중 「겨울」과 「알람브라 궁전의 추억」

같은, 평소 아버지 앞에서 선보이고는 했던 곡들을 잇따라 연주했다. 정말이지 한 번도 틀리지 않고 완벽하게 해냈다.

연주가 끝나자 박수 소리가 극장을 가득 메웠다. 감동을 받은 사람들의 탄성과 칭찬이 여기저기서 계속 이어졌다. 그는 얼떨떨한 기분으로 무대를 내려왔다. 기타를 배우는 가혹한 형벌은 마침내 끝이 났다.

시간이 흘러 기타는 그의 생활에서 점점 잊혀져갔다. 아버지는 여전히 가족 모임 때마다 그에게 한 곡 연주해보라고 했지만 강요하지는 않았다.

대학생이 된 후에도 그는 기타를 잡지 않았다. 기타는 거실 한구석에 놓인 장식품이 되어 그의 손길을 기다리는 것 같았다.

어느새 그도 아버지가 되었다. 어느 날 오후, 가족과 함께 고향집을 찾았을 때, 아이들이 기타를 발견하고 막무가내로 조르기 시작했다.

"한 번 쳐보세요. 제발 한 곡만요!"

그는 아이들에게 떠밀려 기타를 잡았다. 줄을 몇 번 퉁겨보던 그는, 자신이 아직도 기타 연주를 기억하고 있는 것이 신기하다고 생각했다. 그의 손끝에서 경쾌한 음이 울려퍼지기 시작했다.

어디서 몰려왔을까. 조카들은 물론 동네 아이들까지 그의 주위를 에워싸고 춤을 추기 시작했다. 아내도 큰 소리로 웃으며 리듬에 맞춰 박수를 쳤다.

돌아가신 아버지의 말씀이 귀에 들려온 것은 바로 그때였다.

"언젠가 너는 내가 가져보지 못한 기회를 얻게 될 거야. 그때가 되면 이해하게 될 거다."

아버지는 옳았다. 사랑하는 사람들의 마음을 음악으로 위로하는 것, 그것은 세상에서 가장 멋진 일이다.

— 웨인 캘린

From 『Reader's Digest』ⓒ 1991 「My Father's Music」 By Wayne Kalyn

악기를 연습하는 것은 꽃을 심는 것과 같습니다.
씨앗을 흙에 묻은 다음 물을 줍니다.
이때는 아무 변화도 볼 수 없습니다. 하지만 씨앗 내부에서는 성장의
과정이 시작됩니다. 이 단계에서는 재미를 느끼지 못합니다.
그러나 쉬지 않고 계속 물을 주어 가꿔야 합니다.
악기도 그렇습니다.
처음에는 아무리 연습을 해도 실력이 늘지 않습니다.
사람들은 씨앗을 심는 일조차 열심히 하지 않았으면서,
꽃이 피는 것을 성급하게 보고 싶어합니다.
꽃이 아름다운 것은 알지만,
꽃이 피는 동안 기다릴 인내심이 없는 것입니다.
인내심을 가지십시오. 마음을 조급하게 먹지 말아야 합니다.
일어섰다 좌절했다가를 반복하다 보면,
새로운 곡을 익힐 때 예전보다 더 빨라진 것을 깨닫게 됩니다.
악기를 배우는 것은 우리의 인생을 가다듬는 것과 비슷합니다.

다른 이의 말에 귀 기울이기

미국의 어느 전화 회사에서 골치 아픈 고객을 만났다. 그는 걸핏하면 고객 상담실에 전화를 걸어 핏대를 올리곤 했다.

요금이 지나치게 부과되었으며 바가지를 씌운다는 것이었다.

상담원이 자세하게 설명할수록 점점 더 흥분할 뿐이었다.

그 고객은 말싸움에 밀리면 아예 전화선을 뽑아버렸다. 그것에 그치지 않고 몇몇 신문의 독자란에 투고를 하는가 하면 법원에 고소까지 했다. 회사는 어쩔 수 없이 능숙한 상담 전문가 한 명을 고용해 그 고객을 만나게 했다.

효과는 바로 나타난 모양이었다.

트집을 잡던 고객의 항의 전화가 뜸해지더니 마침내 사라진 것이다.

상담실 직원들은 그 전문가를 초빙하기로 했다.

'도대체 어떻게 했기에 지긋지긋한 골칫덩이를 조용하게 만들었을까?'

직원들은 그 비결이 무척 궁금했다. 전문가의 상담 비법을 전수받으면 업무에 큰 도움이 될 것 같았다.

"요령이요? 글쎄요."

전문가가 질문을 받고 대답했다.

"고객이 끊임없이 불만을 말할 때, 전 그저 공손히 들었습니다. 세 시간 동안이나요."

전문가는 실제로 그렇게 했다. 고객이 마음속에 쌓아놓은 불만과 분노를 마음껏 토해내도록 그저 묵묵히 듣고, 간혹 "맞습니다"라고 맞장구쳤다. 그 외에는 아무 말도 하지 않았다.

"연이어 네 번을 찾아가 그분이 말씀하시는 내용에 동정을 표시했죠. 마지막 만났을 때는 '통화고객협의회'를 만들겠다고 하더군요. 나는 찬성하고, 꼭 그 협회의 회원이 되겠다고 했어요. 그러자 그 고객은 여태껏 이런 태도를 보여준 전화 회사 직원을 만난 적이 한 번도 없다며 차츰 우호적으로 변하기 시작했어요."

전문가와 불평투성이 고객의 네 번째 만남에서 모든 문제가 깨끗이 해결됐다. 고객은 밀렸던 요금을 모두 지불했고, 고소를 취하했다.

그 고객은 자신의 행동이 수많은 소비자의 이익을 대변한 것이라 여길 것이다. 하지만 그가 실제로 원한 것은, 다른 사람이 자신을 중요하게 대해주고 존중해주는 것이었다.

전문가를 만나 그런 성취감을 어느 정도 느끼자 다소 억지 섞였던 불만을 그 스스로 잠재워버린 것이다.

상대의 말을 귀 기울이며 들어주는 마음,
그 마음이 활짝 열려 있는 사람이 되어보세요.
말하지 않아도 마음이 보이는 대화를 할 수 있게 됩니다.
의사 소통에 탁월한 사람은
다른 사람에 대한 배려가 많은 사람입니다.
상대방에게 예의를 갖추며,
그가 자신감을 갖도록 분위기를 이끌어줍니다.
말을 많이하기보다는 듣기에 익숙해보이죠.
사람들은 그래서 그를 좋아합니다.

고난과 반갑게 악수하기

딸이 아버지에게 하소연했다. 사는 게 너무나 힘들다고 불평을 늘어놓으며 다 포기해버리고 싶다고 했다.

딸은 한 달 전 남편과 사소한 일로 말다툼을 벌였다. 남편은 불만을 터뜨리며 결국 짐을 꾸려 집을 나가버렸다.

아이의 학교에서 전화가 왔다. 일주일째 무단결석 중이라는 것이었다. 딸은 세상사에 신물이 났지만 아이를 겨우 설득해 학교에 데리고 갔다. 그런데 일이 생겨버렸다.

집을 비운 사이 도둑이 들어 쓸 만한 것들을 죄다 훔쳐갔다. 경찰이 출동해 수사를 하고 있는데, 아이의 학교에서 다시 전화가 왔다. 아이가 친구와 다투다가 계단에서 친구를 밀어 다치게 했다는 것이다.

이처럼 딸의 생활은 골칫거리의 연속이었다. 하나의 문제가 해결되면 또 다른 새로운 문제가 생겼다.

아버지는 오랜 경력의 주방장이었다. 아버지는 딸의 불만을 잠자코

들고 있다가 그녀를 데리고 주방으로 들어갔다.

아버지는 먼저 큰 솥에 물을 넣고 팔팔 끓였다. 그러더니 홍당무를 끓는 물에 넣었다. 그 다음에는 계란을 넣었다. 마지막으로 커피 원두를 곱게 갈아 집어넣었다.

그는 그 세 가지를 계속해서 끓이기만 할 뿐, 아무 말도 하지 않았다. 딸은 아버지에게 이유를 묻고 싶었다. 그러나 아버지의 손놀림이 진지한 것을 보고 그냥 기다리기로 했다.

20분이 지나자 아버지는 불을 껐다. 먼저 홍당무를 꺼내 그릇에 담았다. 계란을 꺼내 또 다른 그릇에 넣었다. 마지막으로 커피를 잔에 따랐다. 그런 다음 비로소 몸을 돌려 딸에게 물었다.

"애야, 지금 뭘 봤니?"

"홍당무랑 계란 그리고 커피요."

아버지는 딸을 손짓해 부르더니 홍당무를 만져보라고 했다. 홍당무는 아주 부드러웠다. 아버지는 계란을 까보라고 했다. 딸은 계란 껍질을 벗기며 '그저 잘 삶아진 계란일 뿐인데' 하고 생각했다.

아버지는 마지막으로 커피를 마셔보라고 했다. 딸은 향기 짙은 커피를 마셨다. 맛있었다.

"아버지, 무엇 때문에 이렇게 하신 거예요?"

아버지는 딸의 질문에 대답하지 않고 되물었다.

"어떤 게 너와 비슷하다고 생각하니? 너는 홍당무니, 계란이니, 아니면 원두커피니? 어려움에 부닥치면 어떻게 대처해야 현명한 걸까?"

고개를 숙이고 한참 동안 생각한 딸은 아버지의 깊은 뜻을 비로소 알 수 있었다.

딸은 마음을 고쳐먹었다. 집을 나간 남편에게 전화를 걸어 사과했다. 아이와의 대화 시간을 늘리겠다고 결심했다. 문제 해결의 실마리를 찾은 것 같아 마음이 후련했다.

딸이 풀이한 아버지의 뜻은 이랬다.

홍당무, 계란, 원두커피는 똑같이 팔팔 끓는 물에 들어가 서로 다른 반응을 나타냈다.

홍당무는 솥에 들어가기 전에는 딱딱하고 강했지만, 끓는 물 속에 들어가자 정반대로 부드러워졌다.

계란은 쉽게 깨지는 성질을 갖고 있으며 얇은 껍질로 내부의 액체를 보호하고 있다. 하지만 펄펄 끓는 물 속에서 삶아내자 내부의 액체가 단단해졌다.

원두커피는 더욱 특이하다. 끓는 물에 들어간 뒤 물과 하나로 융화되었고, 마침내는 물을 변화시켰다. 향기를 가득 담아서.

자기 자신에게 어려움을 어떻게 극복할 것인지 물어보세요.
역경은 진정으로 자신을 비춰볼 수 있는 거울입니다.
역경이 지난 후에는 탄탄대로가 열립니다.
물론, 그 탄탄대로가 지나면 또 다른 자갈길과 역경이
있을 수도 있지요. 인생은, 그런 것이라고 합니다.

나무 한 그루 심기

산에서 자란 사내아이가 있었다. 그는 바깥 세상으로 나가고 싶었다. 하지만 밖으로 나가는 길이 없었고 돈도 없었다. 오직 거대한 산과 울창한 숲이 끝없이 펼쳐져 있었다.

아이는 한참을 생각하고 또 생각했다. 그러더니 도끼를 한 자루 가져와서 날을 갈고 다듬었다.

엄마가 물었다.

"왜 도끼날을 세우고 있니?"

"나무를 베서 길을 만들 거예요."

"길을 만들어서 뭘 할 건데?"

아이는 조금도 주저하지 않고 대답했다.

"바깥 세상으로 나갈 거예요."

엄마는 마음이 아프면서도 아들이 자랑스러웠다.

아이는 숲 속에 길을 만들기 시작했다.

오랜 시간이 흘렀다. 어른이 된 아이는

집으로 돌아가고 싶었다.

하지만 그가 산 밑으로 왔을 때는

길을 찾을 수가 없었다.

벤 나무를 팔아서 여비를 모았다.

아이가 떠나기 전에 엄마가 물었다.

"애야, 다시 돌아오겠니? 집에 돌아올 때 길을 잘 찾아올 수 있겠니?"

아이가 엄마 손을 꼭 잡고 대답했다.

"꼭 돌아올게요. 제가 낸 이 길을 따라서요."

아이는 그렇게 떠났다.

아이가 떠난 후, 다른 사람들도 도끼날을 세워 나무를 벴다. 그들은 사방팔방으로 길을 내고 바깥 세상으로 나갔다.

오랜 시간이 흘렀다. 어른이 된 아이는 집으로 돌아가고 싶었다. 하지만 그가 산 밑으로 왔을 때는 길을 찾을 수 없었다. 산은 거의 벌거숭이가 되어 있었기 때문이다.

그는 어느 길이 자신이 떠나왔던 길인지 도무지 알 수 없었다. 모든 길이 그 길인 것 같았고, 또 아닌 것 같기도 했다. 그는 마침내 고향을 잃어버렸다는 사실을 깨닫고 그 자리에 털썩 주저앉았다.

아이가 태어나면, 부모가 아이를 위해 나무 한 그루를 심습니다.
그 아이가 자라나 결혼할 때면 반려자와 함께 나무를 심습니다.
그 부부는 태어난 아이를 위해 또 한 그루의 나무를 심습니다.
그들의 자녀가 마지막 나무를 심습니다. 바로 부모가 죽을 때입니다.
죽은 이는 그 나무 아래 묻혀 한 그루의 나무가 됩니다.
사랑하는 가족의 곁에서 소중한 추억으로 남게 됩니다.

약속 지키기

그녀가 초등학생이었을 때, 한 남자아이가 돈을 빌려달라고 한 적이 있었다. 그 돈은 그녀의 석 달치 용돈과 맞먹는 꽤 큰 액수였다.

그녀는 한참을 망설였다. 그 남자아이의 집은 아주 가난했으며, 온 동네가 그 사실을 알고 있었다. 그 애 엄마가 사람들에게 보여준 모습은 둘 중 하나였다. 산만큼 솟은 배로 뒤뚱거리며 걷거나, 갓 태어난 아기를 포대기로 업고 분주히 움직이는 모습. 해마다 그 애에게 남동생이나 여동생을 낳아주던 그 애 엄마는 마치 임산부를 직업으로 삼은 것 같았다. 어른들은 가난한 집에서 하루하루 아이들의 끼니를 어떻게 준비하는지 걱정스럽다며 애처로운 눈빛을 보내곤 했다.

그녀가 주저하는 기색을 보이자, 남자아이는 고개를 푹 숙이고 작은 목소리로 말했다.

"급히 쓸 데가 있어서 그래. 닷새 안에는 꼭 갚을게."

어떻게 거절해야 할지 몰랐던 그녀는 할 수 없이 돈을 빌려줬다.

하루하루가 지나가고 드디어 약속한 닷새째가 되었다. 그러나 남자아이는 학교에 오지 않았다. 그녀는 하루 종일 그를 원망했다. '믿었는데, 그렇게 망설이다가 돈을 빌려주었는데 약속을 지키지 않다니…' 너무나 속이 상한 나머지 나중에는 아무 데나 주저앉아 펑펑 울고만 싶었다.

밤이 되었다. 잠자리에 들려고 하는데 창밖에서 그녀의 이름을 부르는 소리가 들렸다. 창문을 열자 남자아이의 얼굴이 보였다. 얼굴은 땀으로 범벅이 되어 있었다.

급히 뛰어왔는지 가쁜 숨을 몰아쉬며 남자아이가 말했다.

"내가 마술을 보여줄게."

그는 꼭 쥐고 있던 주먹을 창턱에 올려놓은 다음 재빨리 뒤집어 손을 폈다. 손바닥 위에 꼬깃꼬깃한 지폐들이 놓여 있었다. 그녀는 놀라서 "아!" 하고 탄성을 질렀다. 지폐가 마치 종이꽃 같았다. 돈을 돌려받지 못할 거라고 생각하고 있었는데….

남자아이가 찾아온 것만으로도 섭섭했던 마음은 이미 풀렸다.

남자아이가 쾌활하게 웃었다.

"다리에서부터 뛰어왔어."

나중에 그 남자아이는 글짓기 대회에서 상을 받았다. 그녀는 그 애가 쓴 글을 읽으며 자기가 빌려준 돈의 쓰임새를 알게 되었다. 남자아이는 저혈당을 앓고 있는 어머니께 포도당을 사드리려고 급히 돈을 빌렸던 것이다.

그리고 약속한 날짜 안에 돈을 갚으려고 날품팔이를 했다. 닷새 동안 밤마다 기차역 근처 다리 아래에서 채소 장수를 도와 채소를 운반했다.

닷새째 되는 날, 남자아이는 마침내 갚을 돈을 다 모았다. 그러나 너무 피곤해 쓰러질 것 같아서 집에 누워 잠깐 눈을 붙인다고 한 것이 그만 저녁 무렵까지 자버린 것이었다.

잠에서 깬 남자아이는 화들짝 놀라 미친 듯이 뛰기 시작했다. 지나가는 사람들은 남자아이가 왜 그렇게 급하게 밤길을 뛰어가는지 짐작조차 할 수 없었다.

이것이 그녀와 그 남자아이의 추억이었다. 그녀는 '신용'에 대한 이야기를 들을 때마다 그 남자아이가 기억난다고 말했다.

오랜 세월이 흐른 뒤, 어릴 적 돈을 갚기 위해 줄달음질쳤던 남자아이는 아주 큰 기업의 회장이 되었다. 그녀는 옛 추억을 떠올려 그의 자서전 집필을 도왔다. 그녀는 '그때의 일이 성공을 향한 밑거름이 되었을 것'이라고 회고했다.

—선스

약속을 지키는 것은 감정을 저축하는 중요한 일입니다.
그러므로 약속을 할 때는 신중해야 합니다.
지키지 못할 약속을 남발하지 마세요.
중요한 약속을 이행하지 않는다면,
저축한 감정이 대량 지출로 이어지게 됩니다.

기회가 있을 때마다 배우기

제자가 스승에게 물었다.

"스승님! 저는 이미 충분히 배웠으니 하산해도 되겠습니까?"

"충분하다는 것은 어떤 뜻이냐?"

스승이 빙그레 웃으며 물었다.

"꽉 차서 더 이상 담을 수 없다는 것입니다."

"그러면, 큰 그릇에 돌을 담아 오너라."

제자는 스승이 시키는 대로 했다.

"꽉 찼느냐?"

스승이 물었다.

"찼습니다."

스승은 돌가루를 몇 줌 집어 그릇에 부었다. 그러나 그릇은 넘치지 않았다.

"꽉 찼느냐?"

스승이 다시 물었다.

"이제는 정말 꽉 찼습니다."

스승은 다시 모래를 한 움큼 집어 그릇에 부었다. 그래도 그릇은 넘치지 않았다.

"꽉 찼느냐?"

"이번에야말로 꽉 찼습니다."

스승이 이번에는 물을 한 잔 따랐다. 여전히 넘치지 않았다.

"꽉 찼느냐?"

제자는 할 말을 잃었다.

지식은 영원히 끝이 없고, 공부를 할 때가 따로 있는 것은 아니다. 아무리 늦어도 늦은 것이 아니다.

책에서만 무언가를 배울 수 있는 것은 아닙니다.
날마다 만나는 모든 사람이 우리의 지식을
풍부하게 해줄 수 있습니다. 가능한 모든 장소에서
지식을 섭취하도록 노력하세요.
넓고 깊은 지식은 사람들의
마음을 트이게 하고 편협해지지 않게 합니다.
배움을 통해 인생을 접하면 깨달을 수 있습니다.
깨달음은 바로 인생의 가치이자 맛입니다.

먼 곳의 친구 사귀어보기

대수롭지 않은 일이 특별한 경험으로 다가올 때가 있다.

그의 '특별한 경험'은 15년 전에 시작되었다. 그가 대학 신입생일 때였다. 당시는 펜팔이 유행이었다. 먼저 펜팔을 시작한 그의 친구들이 이따금씩 두툼한 국제우편을 받을 때마다 그는 몹시 부러웠다.

마침 어떤 잡지에서 펜팔 친구를 찾는 세계 각국 젊은이들의 이름과 주소를 발견했다.

그는 미국 로스앤젤레스에 사는 앨리스를 펜팔 상대로 정했다. 꽤 비싼 편지지도 샀다. 한 여학생이 "여자들은 색에 민감해"라고 말하는 걸 들은 적이 있었다. 앨리스는 자기 소개에서 "분홍색을 좋아한다"고 했다. 그래서 분홍색 편지지에 글을 써서 보내기로 했다.

"Dear Alice, my new friend…."

그의 마음은 생전 처음 시험을 보는 초등학생처럼 두근거렸다. 별로 할 말이 없었기 때문에 쓰는 속도가 느릴 수밖에 없었다. 사전을 찾아가며 어렵게 편지를 썼고, 부칠 때는 뭔지 모를 두려움에 사로잡혔다.

그로부터 한 달 후, 로스앤젤레스에서 답장이 날아왔다.

앨리스는 "내 주소가 어떻게 동양의 잡지 펜팔란에 나왔는지 모르겠다"며 의아해했다. 그러나 "펜팔을 구하지는 않았지만, 전혀 모르는 사람에게 편지를 받는 것도 행운이니 이제부터 당신을 친구로 생각하겠다"고 했다.

기쁨에 겨운 그는 편지를 거의 외울 정도로 읽고 또 읽었다. 외국에서 날아온 편지는 그를 한껏 들뜨게 했다.

공을 들여 그녀에게 답장을 쓰기 시작했다. 묘령의 미국 소녀가 거부감을 갖지 않도록 조심했다. 단어 하나, 글자 하나까지 골라 쓰자니 공연히 얼굴이 붉어졌다.

그렇게 두 사람의 편지 교환이 시작되었다.

앨리스는 단정하고 조심스러운 표현으로 답장을 보내왔고, 자신의 생활을 시시콜콜 드러내는 편이 아니었다. 하지만 가끔씩 작은 인형을 선물로 보내 그를 기쁘게 했다. 그는 앨리스가 인형처럼 예쁜 소녀일 거라고 굳게 믿었다.

그와 앨리스의 펜팔 교제는 성공적이었다. 주변 친구들이 농담 삼아 '국제 결혼'을 미리 축하해주기도 했다. 친구들이 법석을 떨자 그는 슬그머니 이런 생각을 했다.

'앨리스는 몇 살일까? 여자에게 나이를 묻는 것은 실례일 테고, 사진을 한 장 보내달라고 하는 건 괜찮겠지.'

그가 사진을 보내달라고 하자 그녀는 이런 말로 대신했다.

"지금은 보내줄 만한 사진이 없으니 나중에 꼭 보내줄게. 미리 말해 두지만 나는 보통 미국 여자애들보다 훨씬 못생겼어. 내 사진을 보고 네가 너무 실망하지 않아야 할 텐데…."

그는 믿지 않았다.

'괜히 은근슬쩍 빼려는 거겠지? 정말 여자들이란!'

시간이 흐르면서 그와 앨리스의 편지 교환은 점차 시들해져 끊어질 듯 말듯 근근이 이어졌다.

그녀는 몸이 약했는지 곧잘 병원에 입원했다는 내용의 편지를 보내 왔으며, 그는 진심으로 회복을 비는 답장을 정성스레 써 보냈다.

어느덧 대학을 졸업한 그는 직장을 갖고, 결혼을 하고, 아이를 낳았 다. 어느 날, 짐을 정리하다가 앨리스의 편지뭉치를 발견한 그는 아내 에게 보여주었다. 그와 아내는 앨리스를 꼭 한 번 만나고 싶었다.

그러던 어느 날, 미국에서 소포 꾸러미가 도착했다. 겉에는 모르는 여자의 글씨가 씌어 있었는데, 주소지가 앨리스의 집과 비슷했다. 도대 체 누가 보낸 것인지 무척 궁금했다.

소포 속에는 몇 권의 잡지와 짧은 편지가 들어 있었다.

"저는 앨리스의 이모입니다. 말씀드리기 힘들지만, 앨리스는 13년 전에 세상을 떠났습니다. 그리고 앨리스의 어머니가 나흘 전에 돌아가 셨습니다. 당신과 펜팔을 시작했을 때, 앨리스는 다섯 살 소녀였어요. 그녀는 죽을 때까지 글을 쓸 줄 몰랐습니다. 하지만 당신의 편지를 정 말 좋아했어요. 그동안 앨리스를 대신해 그녀의 어머니 낸시가 당신에 게 편지를 보냈던 겁니다. 낸시는 당신과의 편지 왕래를 통해 사랑하는 딸 앨리스를 기억하고자 했습니다. 낸시가 당신에게 보내려던 것들을 함께 보냅니다."

편지를 쓴 사람은 끝으로 "앨리스의 사진을 함께 보내니 잘 간직하길 바래요"라고 당부했다.

사진 속에서는 모자를 깊이 눌러 쓴 어린 소녀가 환하게 웃고 있었다. 오랜 약물 치료와 투병 생활로 머리카락이 하나도 남아 있지 않은 듯했다.

하지만 어느 누구라도 사랑할 수밖에 없을 만큼 아름다운 미소였다.

— 웨이쳐니얼

우리와 다른, 먼 곳의 친구는
우리를 새로운 경험으로 이끌어줍니다.
당신의 마음을 열어주고 상상의 나래를 펴게 해줍니다.
그런 친구를 사귀어 보세요.
쑥스러워할 필요가 없습니다.

사소한 것의 위대함 찾아보기

그녀의 어린 딸은 철이 없었다. 고집도 무척 세어 그녀가 떼를 쓰기 시
작하면 주변 어른 중에 당해낼 사람이 없었다.

엄마는 생각했다.

'오냐오냐 하면서 키웠더니 아이가 저렇게 되었어.'

엄마는 딸이 다니는 유치원에 한 달간 결석계를 냈다. 그러고는 아이를
데리고 사막으로 여행을 떠났다. 엄마는 출발하기 전에 딸에게 말했다.

"우리는 이제 사막에 갈 거야. 거기는 물이 아주 귀한 곳이란다."

나이 어린 딸은 웃으며 대꾸했다.

"오렌지 주스를 사먹으면 되잖아요."

사막의 한 시골 마을에 도착했다. 모녀가 묵기로 한 집은 그나마 형
편이 좋은 곳이었다. 집 주인은 모녀에게 두 통의 물을 주었다. 지난해
받아두었던 빗물이라고 했다. 그러면서 그 물을 내일까지 써야 한다고
당부했다. 물을 쓰는 법까지 가르쳐주었다. 먼저 세수를 한 다음, 그 물

로 옷을 빨고, 마지막에는 돼지가 마실 물로 내놓는 것이다. 마실 물이 부족하지 않게 조심해서 쓰라고 몇 번이나 부탁했다.

딸이 의아하다는 듯이 물었다.

"돼지가 어떻게 이런 물을 마실 수 있어요?"

그러자 엄마가 웃으며 되물었다.

"그럼 우리 딸은, 돼지에게 뭘 줘야 한다고 생각하니?"

"저는 아침에는 레몬 주스를 주고, 우유로 키울 거예요."

대도시에서 자란 아이다운 대답이었다. 엄마는 웃음을 거두고 딸을 똑바로 쳐다보며 말했다.

"이곳에는 주스를 파는 상점이 없단다. 우리가 어제 하루 종일 온 만큼을 다시 나가야 주스나 우유를 구할 수 있어. 자, 이제 이 물을 마시겠니?"

딸이 대답했다.

"싫어요. 더럽잖아요."

"목이 몹시 마르면? 네가 이틀 동안이나 물을 한 모금도 못 마셨다면? 그래도 안 마실래?"

"그래도 저는 안 마실 거예요."

그날 저녁, 딸아이는 엉엉 울었다. 목이 마르고 힘들어서가 아니었다. 엄마에게 혼났기 때문이다.

사막에 사는 사람들은 여러 날 동안 채소라곤 감자밖에 구경하지 못했다. 하지만 멀리서 온 손님을 대접하려고 먼 곳까지 가서 여러 야채들을 사왔다. 그런데 딸아이는 어렵게 구해 온 야채를 먹지 않겠다고 버텼다. 마을 사람들이 오래된 물로 채소를 씻는 것을 봤던 것이다.

옆에 있던 할머니가 야채를 접시에 덜어주었다. 할머니에게는 아주 귀하고 맛있는 음식이었다. 하지만 딸아이는 신경질을 부리며 야채를 식탁 밑으로 던져버렸다. 결국 엄마의 호된 꾸지람을 듣고 눈물을 쏟은 것이다.

아이는 이틀 동안 아무 것도 먹지 않았다. 엄마도 더 이상 밥을 먹으라고 권하지 않았다. 배와 등이 서로 달라붙는 것 같았다. 배고픔보다 참기 어려운 것은 갈증이었다. 목구멍이 갈라지는 것 같았다. 결국 사흘째 되는 날 아침, 아이는 억지로 빗물 한 모금을 마셨다.

모녀가 도시로 돌아갈 날이 다가왔다. 그동안 딸은 사막 아이들과 친해졌다. 딸의 모습은 사막의 아이들과 다를 바 없었다. 머리와 얼굴은 온통 먼지투성이였고 옷은 남루했다. 식성도 바뀌어 아무것이나 맛있게 먹었다. 딸은 아이들과 헤어지는 것이 슬펐다.

엄마는 사람들 손을 일일이 잡으며 작별 인사를 나누었다.

"고마워요. 정말 많은 것을 배우고 갑니다."

엄마는 단지 물의 소중함을 가르치고 싶어 딸을 사막에 데려간 것은 아니었다. 딸은 한 달 동안 그 무엇과도 바꿀 수 없는 소중한 교훈을 온 몸으로 배웠다.

성공은 작은 차이에서 비롯됩니다.
사소한 것에 고마움을 느끼는 순간, 새로운 삶이 시작됩니다.
사소한 일상에서 고마움을 찾아보세요. 언젠가 뒤돌아보면,
인생이 얼마나 바뀌었는지 발견할 수 있을 것입니다.

자신에게 상주기

그녀는 어렸을 때, 어머니를 도와 집안일을 자주 했다.

상을 받기 위해서였다. 그녀가 집안일을 도울 때마다 어머니가 상으로 사탕을 주곤 했던 것이다. 학생 시절에는 좋은 성적을 받아 아버지한테 상을 받곤 했다. 하지만 이젠 다르다.

"이만큼 자랐는데 더 이상 부모님의 선물을 받을 수는 없잖아요. 이제는 저에게 선물을 줘요. 왜냐고요? 선물이야말로 제 자신을 격려하는 가장 유용한 수단이거든요."

그런데 그녀가 몸담고 있던 회사에 부도가 났다. 실업자 신세가 된 그녀는 몇 달 동안 집에 틀어박혀 지냈다. 새 직장을 찾아보고 싶은 마음은 굴뚝 같았지만 자신이 없었다.

'면접에서 망신을 당할지도 몰라.'

이런 생각을 하면서 그녀는 집 안에서 소일거리를 했다. 결국 부모님이 그녀를 먹여 살려야 했다.

어느 날, 그녀는 백화점에 갔다가 결심했다. 멋진 정장을 발견했기 때문이었다.

'정말 멋지구나. 하지만 저 옷은 직장 여성들에게나 어울릴 옷이야. 그러니까 내가 저 옷을 입으려면 취직을 해야 해. 그래! 면접을 잘 보자. 그리고 나서 나에게 선물로 사주는 거야.'

일주일 후, 그녀는 두 군데 회사에 이력서를 내고 면접을 봤다. 면접을 잘 치른 것 같았다. 그녀는 비상금을 꺼내 자신에게 한 약속을 지키러 백화점으로 향했다.

사흘 뒤, 두 회사에서 거의 동시에 연락이 왔다. 모두 그녀를 채용하겠다는 것이었다.

실패하거나 시행착오를 겪었을 때는
스스로를 다독여주는 것이 좋습니다.
반대로 마음먹은 일을 해냈을 때는 자신을 칭찬해주세요.
아주 작은 일이라도 말이에요.
자신을 격려하는 사람은 내면의 행복을 찾을 줄 아는 사람입니다.

꿈을 설계하고 성취하기

형제가 여행을 갔다가 돌아왔다.

둘은 큰 여행 가방을 메고 있었다. 그들이 사는 건물에 도착했을 때 엘리베이터가 고장난 것을 발견했다. 그들은 그 건물 80층에 살고 있었다.

"얘야, 엘리베이터가 고장났으니 계단으로 걸어서 올라가자."

그들은 함께 계단을 올라갔다. 아주 힘들었다.

20층까지 올랐을 때 형이 다시 동생에게 말했다.

"가방이 너무 무겁구나. 여기에 내려놓고 가자. 일단 집에 올라갔다가, 내일 내려와서 다시 가져가자."

동생도 그러는 게 좋겠다고 했다.

그들은 여행 가방을 20층에 놓고 계속 위로 올라갔다.

40층에 도착했을 때, 동생은 형을 원망하기 시작했다. 그래서 둘은 티격태격 싸우면서 60층까지 올라갔다.

그리하여 80세가 되고,

삶이 끝날 때가 되면 비로소 깨닫게 된다.

'무언가 미처 완성하지 못한 일이 있는데...'라고 말이다.

그러고는 한참 동안 생각한 끝에

스무 살 시절의 꿈을

이루지 못했음을 발견하는 것이다.

지친 형이 동생에게 말했다.

"20층밖에 안 남았으니 이제 그만 싸우고 조용히 올라가자."

마침내 80층, 그들 집 문 앞에 도착했다. 한숨 돌린 형이 거드름을 피우며 말했다.

"얘야, 문을 열어라."

그러자 동생이 눈을 동그랗게 뜨고 말했다.

"장난하지 마. 열쇠는 형한테 있잖아."

열쇠는 그들이 20층에 놓아둔 가방 안에 있었다.

이 이야기는 우리의 인생을 반영하고 있다.

많은 사람이 스무 살 전에는 가족과 선생님의 기대 속에 스트레스를 받으며 살아간다. 스무 살이 지난 후에는 뜨거운 혈기로 자신의 꿈을 실현시켜 나가기 위한 준비를 한다. 하지만 20년 동안 일하고 난 후, 나이가 마흔쯤 되면 세상사가 마음대로 되지 않는다는 것을 절감한다. 그래서 사장과 회사, 더 나아가 사회를 원망하기도 한다.

회한과 상심 속에서 20년이 훌쩍 지나간다.

60세가 되면 원망할 대상이 없어진다. 그저 묵묵히 자신의 남은 생을 걸어간다.

그리하여 80세가 되고, 삶이 끝날 때가 되면 비로소 깨닫게 된다.

'무언가 미처 완성하지 못한 일이 있는데….' 라고 말이다.

그리고는 한참 동안 생각한 끝에 스무 살 시절의 꿈을 이루지 못했음을 발견하는 것이다.

소망은 우리의 마음속에 있는 가장 아름다운 비밀입니다.
우리가 소망을 실현하기 위해 행동할 때,
'아프지만 행복한' 여정이 눈앞에 펼쳐질 것입니다.
생일에만 소원을 빌 수 있는 것은 아닙니다.
가슴이 아플 정도의 강렬한 바람이 생겼을 때
소원을 빌면 됩니다.

자신의 능력 믿기

담임 선생님이 종례 시간에 말했다.

"얘들아, 기쁜 소식이 두 가지 있다. 첫 번째 소식은 이번 축제 때, 댄스 그룹 X가 특별 공연을 한단다. 그리고 더 기쁜 소식은, 우리 학생들도 댄스 팀을 만들어 X랑 함께 공연을 하기로 했다는 거다. 참가할 학생은 신청해라."

교실에 한바탕 난리가 났다. 숨넘어갈 듯한 환호성이 이어졌다. 기절할 것 같은 표정을 짓는 아이들도 있었다. 어떤 여학생은 슈퍼스타들을 코앞에서 볼 수 있다는 사실에 감격해 눈물을 흘렸다. 하지만 유독 그아이는 차분하게 앉아 있었다.

"댄스 팀을 만든다. 참가할 학생은 신청해라."

선생님의 이 말이 귓속에서 빙빙 맴돌았다. 무언가가 잔뜩 부풀어올라 가슴속을 가득 채우는 듯한 느낌이었다.

그 아이는 지극히 평범한 학생이었다. 성적도, 용모도, 옷차림도 튀는 법이 없었다. 취미란에 늘 '없음'이라고 적던 아이였다.

하지만 그 아이는 춤추는 것을 굉장히 좋아했다. 어릴 적에 발레리나 출신인 어머니의 강요에 못이겨 발레를 배운 적이 있다. 하지만 아이는 발레에는 관심이 없었다. 처음에는 억지로 연습하곤 했지만 나중에는 그것마저 하지 않았다.

더욱 큰 문제는 아이의 소심함이었다. 남들 앞에 나서는 것을 죽기보다 싫어했다. 발레 교습소의 발표회를 번번이 망치는 것은 항상 그 아이였다. 연습 때는 곧잘 하는 편이었지만 공연 때 관객들 앞에 나서면 그만 뻣뻣하게 굳어버리는 것이었다.

아이는 늘 생각했다.

'난 키도 작고, 예쁘지도 않아. 이런 내가 발레복을 입고 사람들 앞에 서면 틀림없이 비웃음을 살 거야. 그럼 엄마가 창피해지겠지?'

결국 엄마는 딸을 발레리나로 만들겠다는 꿈을 포기하고 말았다.

아이는 발레 대신 텔레비전에 나오는 댄스 가수들 흉내를 내며 홀로 춤추는 기술을 익혔다. 그러다 엄마에게 들켜 혼이 난 게 한두 번이 아니었다. 엄마는 딸을 이해할 수 없었다.

'그룹 X가 온다니…. 댄스 팀에 들어가볼까? 사람들이 뭐라고 할까? 나를 받아주기나 할까? 엄마가 알게 되면 어떡하지?'

그날 밤, 아이는 잠을 이루지 못했다. 자신의 춤 실력을 시험해보고 싶었다. 하지만 발레를 할 때처럼 망신을 당할까봐 두려웠다. 공연히 나섰다가 바보가 되는 것은 죽기보다 싫었다. 이런저런 생각을 하다가

밤을 꼬박 지새웠다.

　다음 날 오후, 학교 친구들은 놀라운 소식을 들었다.

　"쟤가 댄스 팀에 참가 신청을 냈대."

　아이는 그날 저녁에 열린 교내 오디션에서 1위로 통과했다. 남자아이들보다 힘있는 춤을 추었다는 게 그 이유였다. 지도 교사는 아이를 댄스 팀의 리더로 뽑았다. 친구들은 이제야 아이의 존재를 발견한 듯했다.

　'조용하고 평범하게 생긴 저 여자애가 댄싱 퀸이었다니!'

　아이는 전교생의 관심을 한몸에 받게 됐다. 부담스럽기도 했지만 한편으로는 정말 기뻤다.

　'나도 이렇게 특별한 사람이 될 수 있구나.'

　또 다른 한편으로는 여전히 두려웠다.

　'많은 사람들 앞에 서면 또 실수하고 말 거야. 프로 댄서들하고 공연하는 건데 망신만 당할 게 뻔해. 역시 경솔했어.'

　아이는 후회했다.

　마침내 축제날이 되었다. 학교는 하루 종일 시끄러웠다. 학생들은 꽃과 선물을 들고 교문 양쪽에 늘어섰다. 그룹 X가 나타나면 일제히 달려들 태세였다. 인근 학교 학생들은 물론, 동네 주민들까지 몰려와 운동장을 가득 메웠다. 수천 명에 이르는 인파였다.

　아이는 무대 뒤에서 분장을 하고 있었다. 불안한 마음에 어제 저녁부터 아무것도 먹지 않은 아이는, 분장을 끝내고 일어서서 거울을 보다가 쓰러질 뻔했다. 현기증이 심하게 일었다.

　'오늘 공연은 틀림없이 엉망이 될 거야.'

그때, 교장 선생님이 무대 뒤에 나타나 침통한 표정으로 말했다.

"공연이 취소됐습니다. 그룹 X가 오는 길에 교통사고를 당했대요. 어느 정도 부상을 입었는지는 모르겠습니다. 어쨌든 오늘 공연은 못하게 됐습니다."

그녀는 몽둥이로 뒤통수를 세게 맞은 듯한 느낌이었다. 귀가 멍멍하고 눈앞이 아득해졌다. 행사 진행을 맡았던 선생님이 "취소되었다고 방송을 해야겠군" 하고 말했을 때야 정신이 돌아왔다.

선생님 앞으로 걸어간 아이는 작지만 단호한 목소리로 말했다.

"선생님, 비록 가수들은 못 오지만 그래도 사람들 앞에서 공연을 하고 싶어요. 우리 모두 열심히 연습했잖아요."

아이는 선생님의 답을 기다리지 않고 몸을 돌려 댄스 팀을 둘러봤다. 그러자 아이들이 이구동성으로 외쳤다.

"그래요, 우리끼리도 할 수 있어요."

공연을 안내하는 방송이 나갔다. 교문 근처에 서 있던 사람들이 무대 앞으로 우르르 몰려들었다.

대형 스피커를 통해 신나는 음악의 리듬이 쿵쿵 울려 퍼졌다. 사람들은 리듬에 맞추어 고개를 끄덕이기 시작했다. 댄스 팀이 무대로 뛰어나왔고 아이는 마지막으로 등장해 춤 실력을 선보였다.

아이가 음악에 맞춰 신나게 춤추는 모습을 보던 사람들의 입에서 탄성이 터져 나왔다. 특히 남학생들이 아이의 매력과 카리스마에 압도돼 넋을 잃었다.

'저렇게 멋진 여자애가 우리 학교에 있었단 말이야? 그동안 왜 전혀 몰랐을까?

아이는 공연의 마지막을 고난도 기술로 화려하게 장식했다. 무대 옆 대형 스크린에 댄스 팀 참가 학생들의 이름이 올라갔다. 아이의 이름은 두 번 등장했다. 한 번은 팀의 리더로, 또 한 번은 안무가로.

박수가 한참 동안 이어졌다. 비에 젖은 것처럼 땀이 흘렀다. 아이는 관중들을 천천히 둘러봤다. 맨 앞줄에 서 있는 엄마의 모습이 눈에 들어왔다. 엄마 역시 뜨거운 박수를 보내고 있었다. 무척 감격한 듯 눈물까지 글썽였다.

관중은 아이에게 공포의 대상이었다. 하지만 이 순간은 달랐다. 아이는 등골이 오싹해지는 걸 느꼈다. 가슴속에 뜨거운 이물질 같은 것이 치밀고 들어온 느낌이었다. 아주 오랜 시간이 지난 후에야 아이는 그것이 무엇인지 비로소 알 수 있었다.

바로 자신감이었다.

— 장옌

자신을 사랑하는 법을 배워야 합니다. 스스로를 사랑할 때 더 많은 이의 사랑을 받게 됩니다. 다른 사람이 좋아하는 모습보다 먼저 당신 스스로가 좋아하는 모습이 되어보세요. 그러려면 먼저 자신을 이해해야 합니다. 자신을 이해한 후에야 비로소 자신을 어떻게 사랑할 것인지, 자신이 표현하고 싶은 것이 무엇인지 정확히 알게 됩니다. 자신 있는 일을 하세요. 이 '자신감'이 사람을 완벽하게 만듭니다.

세상을 위한 선물 준비하기

그녀는 그해 뜨거웠던 여름을 지금도 생생하게 기억하고 있다. 그녀의 어머니가 갑자기 세상을 떠났다. 병원에서 미처 병명조차 알아내지 못한, 갑작스러운 죽음이었다. 어머니는 겨우 서른여섯이었다.

의사가 아버지에게 서류를 내밀었다. 어머니의 안구를 추출하기 위해 동의를 구하는 것이었다. 그녀는 그 이야기를 듣고 거의 쓰러질 뻔했다. 눈물이 봇물 터지듯 흘러내렸다. 그녀는 열두 살이었다. 죽은 엄마에게 왜 칼을 대야 하는지 이해할 수 없었다. 엉엉 울면서 아버지에게 매달렸다.

"안 돼요, 아빠. 그러면 엄마가 우리를 다시는 볼 수 없잖아요."

하지만 아버지는 서류에 사인을 했다.

"동의합니다. 시작하시죠."

그녀는 울며 소리쳤다.

"아빠, 어떻게 돌아가신 엄마 눈을 떼내요? 엄마는 완전하게 이 세상에 왔으니까 떠날 때도 완전한 모습으로 가야 된다고요."

옆에 서 있던 이모들도 풀썩 주저앉으며 오열했다.

"애야."

아버지가 그녀의 머리를 쓰다듬으며 온화하게 말했다.

"우리가 세상 사람들에게 해줄 수 있는 가장 좋은 선물이 이런 것이란다. 네 엄마와 나는 예전에 결심했지. 만약에 우리가 죽는다면, 사람들을 위해 선물을 남겨주겠다고 말이다. 그러면 우리 죽음이 더 의미가 있을 거라고 엄마랑 늘 이야기했단다. 지금, 그 약속을 지키는 것뿐이란다."

세월이 흘러 그녀는 결혼을 했고, 아버지를 모시고 살게 되었다. 어느 날 아버지의 생명이 얼마 남지 않았음을 알게 되었다. 부녀는 많은 시간을 함께 보내며 이야기를 나누었다.

아버지는 유언장을 그녀에게 미리 보여주며 "안구를 기증해달라"고 부탁했다.

"눈은 내가 다른 사람에게 줄 수 있는 가장 좋은 선물이란다. 실명한 아이에게 시력을 회복시켜줄 수 있고, 그 아이가 네 딸처럼 그림을 그릴 수 있게 된다면 얼마나 행복하고 감격스럽겠니."

그녀의 딸은 확실히 그림에 소질이 있었다. 목장의 말을 그려 상을 받은 적도 있었다.

"한번 상상해보렴. 만일 시각장애인 아이가 앞을 보게 되어 그림을 그릴 수 있다면, 그 아이의 부모는 세상을 다 얻은 듯 기쁠 거야. 내 눈이 그림을 그리고 싶어하는 소녀의 소원을 이뤄줄 수 있다면 너 역시 자랑스럽지 않겠니."

그녀는 감격스러웠다. 딸아이에게 할아버지의 말씀을 들려주었다.

아이는 외할아버지를 꼭 껴안으며 말했다.

"할아버지가 너무나 자랑스러워요."

딸아이는 열두 살이었다. 그녀가 어머니의 죽음을 맞이했던 때와 같은 나이였다.

그녀의 아버지가 숨을 거둔 후, 가족들은 고인의 유언을 따랐다. 장례식이 끝난 뒤 딸이 그녀에게 말했다.

"엄마, 나도 죽을 때 외할아버지처럼 눈을 기증할래요."

불행한 일이 일어났다. 그녀의 딸은 안구기증 서약서에 서명한 지 2주 만에 사고를 당했다.

트럭에 치여 깨어나지 못했다. 딸은 아름답고 총명한 아이였다.

그녀는 딸이 죽고 3주 후에 한 통의 편지를 받았다. 어느 병원의 안구 이식 센터에서 온 것이었다.

"친애하는 수애 양의 부모님께. 이식 수술이 성공적으로 끝났음을 알려드립니다. 두 분의 시각장애인이 다시 세상을 볼 수 있게 됐습니다. 그들이 시력을 회복한 것은, 따님이 이 땅에 남긴 가장 훌륭한 선물입니다. 삶을 사랑하는 두 사람이 따님의 아름다움을 함께 나눴습니다."

삶은 세상이 우리에게 준 선물입니다.
어느 순간이 되면 우리는 돌아왔던 곳으로 다시 돌아가야 합니다.
우리는 돌아가기에 앞서 고마운 세상에 어떤 답례를 해야 할까요?
당신은 세상에 어떤 선물을 남겨주고 싶은가요?

잊지 못할 쇼 연출해보기

외항 선원인 그는 연말연시를 가족과 함께 보낸 적이 한번도 없다. 그는 항상 바다 위에 있었다. 이번 항해도 예외가 아니었다. 일정상으로는 해가 바뀐 뒤 항해를 마치게 돼 있었다.

처음에는 갑판장이 욕심을 부렸다.

"12일까지 해협만 벗어난다면 가능성이 전혀 없는 건 아니야. 잘하면 크리스마스도 집에서 보낼 수 있어."

그러자 항해사가 어림없다는 투로 말했다.

"그때까지 하역이 끝나지 않을 텐데 무슨 수로 해협까지 가요?"

선원들 간에 논쟁이 벌어졌다. 누군가가 "가족과 신년 해돋이 한 번 보는 게 소원"이라고 말했다. 이 말을 듣자 모두 숙연해졌다. 가능한 한 서둘러보기로 했다. 선장까지 나서서 선원들을 격려했다. 가능성이 별로 없다는 것을 누구나 알고 있었지만 혹시나 하는 마음에 다함께 힘을 모았다. 몇 가지 일이 기적처럼 벌어졌다.

예상한 것보다 하역 작업이 일찍 끝나 출항을 앞당길 수 있었다. 다음에는 날씨가 도와주었다. 원하는 방향으로 바람이 불었다. 수면은 거울처럼 잔잔했다. 바다라고 믿기 어려울 정도였다. 12월 31일 밤, 그들은 고향 항구에 정박했다. 닻이 '풍덩' 하는 소리와 함께 물속으로 들어가자 모두 환호성을 지르며 기뻐했다. 그때가 11시 5분이었다. 새해까지는 55분 남아 있었다. 그는 배에서 내리자마자 택시를 잡아타고 '쾅' 소리가 날 정도로 급히 문을 닫았다.

"빨리 좀 가주세요."

택시 기사가 속도를 높였다. 늦은 시간이었지만 도시 곳곳이 새해를 축하하는 사람들로 붐볐다. 연말에 이런 풍경을 보는 것은 결혼 후 처음이었다.

"이것 좀 보세요. 아이들이 놀랄까요?"

그는 외국에서 산 산타클로스 가면을 얼굴에 쓰고 기사에게 말을 걸었다. 몸을 돌려 그를 쳐다보던 택시 기사가 "어이쿠!" 하며 짐짓 놀란 척하면서 말했다.

"그 가면을 쓰고 집에 들어가보세요. 애들이 무척 재미있어 할 것 같은데요."

"맞아요, 우리 귀염둥이들이 펄쩍펄쩍 뛰며 말하겠죠. '진짜 산타클로스다!' 라고요. 아이들에게 크리스마스 선물을 한 번도 직접 준 적이 없어요. 이번에도 그랬지만, 해가 바뀌기 전이니까 효과가 있겠죠?"

"교통 체증이 심해서 썰매가 늦게 도착했다고 하시면 되겠군요."

택시 기사가 친절하게도 핑계거리를 만들어주었다. 택시에서 내린 그는 부리나케 집으로 뛰어갔다. 하지만 아쉽게도 자정이 지나 있었다. 가족들이 새해 맞이 파티를 열고 있을 시간이었다.

엘리베이터가 내려오는 게 무척 느리게 느껴져 조바심이 났다. 가슴이 마구 뛰었다. 바다에서 폭풍우를 만났을 때 요동치는 닻 소리 같았다.

'혹시 아내가 눈치 챘을까? 아냐, 그럴 리는 없을 거야!'

그는 1월 3일이나 4일쯤 집에 갈 거라고 전화를 했던 터였다. 초인종을 눌렀다. 문이 열리고 그의 아내가 나왔다. 안에서 아이들이 떠드는 소리가 들렸다. 아내가 산타클로스를 보고 깜짝 놀랐다.

"어머, 무슨 일이세요?"

그녀는 그가 카사블랑카에서 사다 준 옷을 입고 있었다. 양 볼은 발그스름했고, 머리에는 리본 장식을 달고 있었다.

"저희는 산타클로스를 부른 적이 없는데요."

아내가 상냥하게 말했다.

"집을 잘못 찾으신 것 같네요."

"그럴 리가 없는데요."

그는 터져 나오려는 웃음을 간신히 참으며 아내에게 말했다. 늙수그레한 목소리에 사투리까지 섞어 말했다.

"주소를 보면 여기가 맞는데요, 그렇죠?"

"네, 그렇네요. 하지만 우리는 부른 적이 없어요."

"그래요?"

"아하, 그렇구나!"

그의 아내가 갑자기 손뼉을 치며 말했다.

"우리 남편이 외항 선원이거든요. 항해 중에 선물을 보냈나봐요."

"맞습니다."

그는 짐짓 태연하게 말했다.

"남편 분이 외국에서 특별히 부탁하셨습니다."

"어쩜, 왜 그걸 미리 알려주지 않았을까? 깜짝 선물로 즐겁게 해주고 싶었나봐요."

집 안에 들어서자 그의 아이들이 이웃 친구들과 게임을 하고 있는 게 보였다. 모두 산타클로스를 보고 기뻐했다.

"애들 아빠가 특별히 준비한 선물이래요."

아내는 자랑스러운 표정으로 손님들에게 설명했다.

그가 선물 보따리를 펼치자 모두 놀라서 멍하니 쳐다보기만 했다. 그의 아이들은 좋아서 팔짝팔짝 뛰었다. 아내도 무척 감격했는지 아이들을 꼭 끌어안고 말했다.

"이것 좀 봐. 너희한테는 이런 아빠가 계시단다. 아빠가 전혀 생각지도 못했던 선물을 보내주셨구나."

그녀는 목이 메어 더듬거렸다. 그는 가면을 벗어 모두를 깜짝 놀래키고 싶었다. 하지만 그렇게 하면 분위기가 어색해질 것 같아 그만 나가봐야 할 것 같았다.

그는 "모두들 새해 복 많이 받으세요"라고 말하고 문을 나섰다.

그의 아내가 현관 밖까지 따라 나왔다. 그녀는 고마움을 표하며 팁을 건네줬다. 그는 이번에도 터져 나오려는 웃음을 가까스로 참았다. 큰길로 나오자 때마침 눈이 날리고 있었다.

모두 산타클로스를 보고 기뻐했다.

"애들 아빠가 특별히 준비한 선물이래요."

아내는 자랑스러운 표정으로 손님들에게 설명했다.

그가 선물 보따리를 펼치자 모두 놀라서

멍하니 쳐다보기만 했다.

그의 아이들은 좋아서 팔짝팔짝 뛰었다.

세상은 아름답고 평안해보였다. 그는 가면을 벗고 사거리까지 걸어가 택시를 탄 뒤 말했다.

"항구로 갑시다."

"선원이세요? 어떻게, 새해 벽두에 출항하시는 거요?"

기사가 의아하다는 듯이 물었다.

"무슨 일이든 생길 수 있는 거죠."

항구에 도착한 그는 배 선실에 들어가 몇 시간 잠을 잔 뒤 아침 일찍 일어나 다시 택시를 타고 집으로 갔다.

"안녕, 잘 지냈지? 새해 첫날 식구들 얼굴을 보니 정말 기분 좋은데…"

"여보, 선물 정말 고마웠어요."

아내가 활짝 웃으며 말했다.

"올해처럼 기쁘게 새해를 맞이하기는 처음이에요. 우리 가족 모두 영원히 잊지 못할 거예요."

그러더니 작은 목소리로 그에게 속삭였다.

"그나저나 팁은 충분했죠? 산타클로스 아저씨!"

— 웨이 로젠트

우리 모두는 농부입니다.
기름진 땅에 씨를 뿌리고 정성스레 보살피면,
좋은 성과를 거둘 수 있습니다.
지금, 미래를 위한 씨를 뿌려보세요.
사랑하는 사람들을 위해 감격적인 쇼를 연출해보세요.
지금 펼치는 사랑의 쇼가 미래의 씨앗이 됩니다.

당신은 세상에 어떤 선물을 남겨주고 싶은가요?

우편엽서

보내는 사람

□□□ - □□□

소중한 의견을 보내주십시오.
위즈덤하우스는 언제나 독자 여러분의 의견에 귀 기울이겠습니다.

www.wisdomhouse.co.kr

위·즈·덤·하·우·스
w i s d o m h o u s e

서울시 마포구 도화동 22번지 창강빌딩 15층
TEL (02)704-3861 FAX (02)704-3891

우편요금
수취인 후납 부담

발송 유효 기간
2004.12.17 ~ 2005.12.16
마포 우체국
제 1333 호

1 2 1 - 7 6 3

● 구입한 책 제목

● 책을 구입한 장소
　□(　　　)서점　　　　　□인터넷　　　　　□기타(　　　)

● 이 책을 사게 된 동기
　□주위의 권유로　　　　　　　　　□서점에서 우연히 눈에 띄어서
　□(　　　　)의 광고를 보고
　□(　　　　)에 실린 신간안내나 서평을 읽고
　□기타

● 이 책은 어떤 점이 좋았습니까?

● 책을 읽고 아쉬웠던 점이 있다면?

● 평소에 어떤 분야의 책을 주로 읽으십니까?
　□경제/경영　□인문　□사회　□소설　□예술　□기타(　　　)

● 위즈덤하우스에 하고 싶은 말씀을 적어주세요.

● 이름　　　　　　● 성별　　　　　　● 나이

● 주소　　　　　　　　　　　　　　　● 직업

● 이메일(이메일 주소를 적어주신 분께 알찬 정보를 보내드립니다)　　● 전화

● 구독잡지　　　　　　● 구독신문

● 최근에 읽은 책